la petite fille du printemps

Isabelle Laberge Bélair

768 - 1596

7005 Briand

H4E - 3L7

monique corriveau

la petite fille du printemps

LES ÉDITIONS FIDES, 5710 AVENUE DECELLES, MONTRÉAL, H3S 2C5

Couverture: Louise Pomminville

ISBN: 2-7621-1218-4

Numéro de fiche de catalogue
de la Centrale des Bibliothèques: 78-39253

1

la fausse note

Hélène revient de l'école, le cœur en fête. Quelle journée merveilleuse ! Le ciel clair, vibrant de soleil, étale son bleu profond ; la neige grince sous les pas de la petite fille.

Elle balance au bout du bras le vieux sac de cuir où s'entrechoquent livres, cahiers et crayons, étonnés, s'il se pouvait, d'une humeur aussi exubérante. Et la raison d'une telle joie ?

Hélène a réussi, pour la première fois de l'année, une dictée sans faute. « Quelle surprise pour les autres ! » se dit-elle, impatiente d'annoncer sa victoire.

Son visage brille d'un éclat inaccoutumé. Les cheveux bruns, sagement retenus en nattes trop minces, dansent la farandole au rythme de la course. Ses yeux seuls retiennent l'attention. Couleur de noisette, grands et bien ouverts, toujours pensifs, ils semblent ne pas s'arrêter à la surface des choses.

« Encore trois maisons, et m'y voilà ; encore deux, encore une... »

Elle ralentit, car d'une voiture d'enfant montent des cris. « Le bébé de madame Dupuis apprendra, le premier, la grande nouvelle. »

La fillette s'approche, un peu émue tout de même, car elle ne connaît pas les nouveaux voisins ; mais, aujourd'hui, elle a toutes les audaces. Le bébé rond et rose examine gravement la curieuse. Le rideau de la fenêtre a bougé, est-ce la maman qui vient ? Hélène s'enfuit, jusque chez son oncle, Antoine Monnier.

Pour cette maison neuve, la plus imposante des alentours, on a employé le béton, matériau par excellence des constructions modernes. Les lignes simples et hardies reflètent les goûts du propriétaire, architecte d'avant-garde.

La voix sévère de madame Monnier s'élève :

— C'est toi, Hélène ?

— Oui, ma tante.

— Tu es en retard.

L'écolière baisse la tête. Mademoiselle a retenu quelques minutes l'enfant que les compagnes ont félicitée. Mais à quoi bon mentionner la belle dictée ? La joie est morte dans le cœur de la petite fille sensible.

— Oui, ma tante, acquiesce-t-elle, dans un souffle.

— Parle plus fort, s'impatiente madame Monnier.

Elle a recueilli parmi les siens cette enfant dont les parents ont perdu la vie dans un accident d'automobile. Orpheline à deux ans, Hélène Sylvain en compte maintenant presque onze ; frêle et timide, elle semble un poussin dans une nichée d'aiglons.

La fillette ôte ses bottes, suspend son manteau à un crochet. « Tiens, les Fabre sont là aussi », constate Hélène, qui aperçoit les vêtements jetés pêle-mêle sur un banc.

Chaque vendredi, les enfants des deux familles se réunissent, sitôt l'école finie ; ils n'ont pas d'étude pour le lendemain, jour de congé.

Les Fabre habitent, en face, une maison trop petite pour abriter cette famille, ses chiens, ses chats et le reste de la ménagerie. La bande a donc adopté, pour ses quartiers généraux, l'immense grenier des Monnier. C'est là qu'Hélène les rejoint.

Sous les combles, les jeunes ont aménagé leur domaine : un vieux piano, un phonographe, des fauteuils aux cretonnes fanées, deux longues tables peintes, l'une en rouge, l'autre en vert, un bahut, quelques chaises boiteuses et d'énormes valises d'autrefois forment l'ameublement. Il fait sombre, sous les deux ampoules nues.

Hélène s'arrête sur le seuil, encore aveuglée par l'éclat du soleil sur la neige. Nul ne la voit, car on a bien d'autres occupations.

À mesure que ses yeux s'adaptent, Hélène distingue mieux les sept enfants.

D'abord les cousins Monnier ; tous quatre ont des cheveux noirs, l'allure fière, les gestes décidés. L'aîné, Dominique, a quatorze ans ; il a grandi trop vite et ne sait que faire de ses jambes, de ses bras. Intrépide et nerveux, il mène ses lieutenants d'une main de fer. On apprécie ses conseils, mais on craint ses colères.

Mireille a treize ans. Des boucles soyeuses encadrent un visage aux traits purs. Élégante, elle affiche des mines de princesse ; son regard ironique et son ton mordant révèlent parfois trop de froideur.

Un cœur d'or, un brin de paresse, beaucoup d'orgueil, un sourire épanoui, qui force la sympathie de tous, voilà le bon Olivier, dix ans, téméraire et boute-en-train.

Simon, le cadet, a huit ans, pardon, presque neuf ans. D'allure distraite, il observe tout sans en avoir l'air. Grave, studieux, méthodique, plus calme que ses aînés, il est d'un entêtement proverbial. On l'appelle monsieur Pourquoi. Ne voulant croire que ce qu'on lui prouve, il se fait souvent jouer par les grands. Les autres le considèrent comme un érudit, car il a entrepris la lecture du dictionnaire.

Les Monnier ont des caractères violents, plus renfermés que ceux de leurs amis.

Les trois Fabre ont du soleil plein les yeux, des reflets d'or dans leurs cheveux blonds.

René a quatorze ans, comme Dominique, mais là s'arrête la ressemblance. Plus petit, il a les épaules larges, les gestes vifs, la voix sonore. Bohème réaliste et joyeux, il ne dramatise pas, et trouve toujours le mot pour rire. Il s'intéresse volontiers aux plus jeunes, essaie sur eux ses histoires et ses bons tours.

Françoise, gaie comme lui, insouciante et taquine, douée d'une imagination primesautière, croit aux blagues qu'elle invente et ne cesse d'étonner ses compagnes par des récits fantastiques.

Lucie, huit ans, bien équilibrée, voire un peu terre-à-terre, conserve, malgré les pires tracas, une humeur sereine, « au beau fixe », disent les taquins. Elle possède une voix juste et claire, un répertoire presque illimité de chansons.

En ce moment, assise au piano, elle essaie, une à une, toutes les notes.

— Passe-moi une orange, réclame Olivier.

Lucie tend la main vers la corbeille et lance vigoureusement dans la direction du gamin le fruit réclamé.

— En plein dans l'œil, constate René, narquois.

— Joue donc, interrompt Dominique Monnier, tu parles tout le temps.

— Oh ! moi, les échecs, ... commence René, qui perd la partie.

Son partenaire riposte :

— Laisse ta place à Mireille, elle vaut mieux que toi.

— Je n'ai pas le temps, proteste la fillette, qui, devant un miroir terni, contemple le bout de son petit nez droit.

— Je voudrais bien jouer, dit une voix flûtée.

René cède volontiers la place, mais Mireille susurre :

— Françoise n'y comprend rien.

— Je refuse, alors, s'indigne Dominique.

— Moi, je veux essayer, déclare Olivier.

— Moi, je, moi, je, répète Lucie, taquine.

— Tu es trop petite, coupe Mireille, on ne joue pas avec des bébés.

Simon, sans un mot, s'installe au damier, en face de son frère Dominique. Depuis des jours, il observe les parties ; ses premiers coups suscitent l'intérêt.

La partie s'engage, et Dominique sauve de justesse ses pièces menacées par les ruses du benjamin.

— Qui t'a montré ? demande-t-il, admiratif.

— Personne, j'ai regardé.

— Quel gars, tout de même ! On en fera quelque chose, constate René.

— Lucie ! Tiens-toi tranquille, crie Dominique, agacé par le manège de la pianiste. Elle frappe avec obstination le ré ; loin de s'interrompre, elle joue dix fois le do.

— Tu es détestable, commente Mireille.

Le mi, obstiné, lui répond.

— Je fais une découverte, dit Lucie fièrement. Elle joue tour à tour les notes qu'elle annonce :

— *Do*, c'est Dominique, *Ré*, c'est René.

— *Mi*, c'est moi, ajoute Mireille, qui délaisse le miroir.

— *Fa*... Françoise, ajoute René, conquis.

— *Si*, c'est moi, constate Simon.

— Il manque *Sol* et *La*, dit Dominique. Ton truc ne marche plus.

— Mais voyons, *La*, c'est Lucie.

— Et Olivier devrait s'appeler Solange, taquine Françoise.

Ledit Olivier, rouge comme un coq, se dresse déjà. Mais René, conciliant, s'interpose :

— Salomon conviendrait mieux.

— *Sol*, pour Olivier, ça va quand même, conclut Françoise.

Lucie, triomphante, s'exclame :

— Nous serons les notes de la gamme !

Et les accords éclatent, endiablés. Le piano en vibre tout entier.

On entoure Lucie, ou plutôt *La* ; on s'extasie, on félicite l'héroïne, qui rougit modestement, elle qui, d'habitude, n'invente rien.

Hélène, toujours immobile dans le corridor obscur, osera-t-elle pénétrer dans cette pièce où l'on a si peu besoin d'elle ? Comment forcer l'amitié qui unit les sept et l'exclut de leurs jeux, de leur vie ?

Justement, on parle d'elle, et c'est Olivier, le plus généreux, qui s'inquiète :

— Hélène, comment l'appellerons-nous ?

Lucie veut que tous profitent de son invention. Elle se désole :

— Quel dommage ! La gamme devrait être plus longue.

La voix de Mireille fuse, moqueuse :

— Bah ! Hélène, c'est la Fausse Note !

Un éclat de rire salue cette trouvaille.

Hélène s'enfuit en larmes. Son cœur se révolte contre la cruauté de ses camarades. Elle dévale l'escalier, se réfugie dans la chambre qu'elle partage avec Mireille, et là, elle sanglote, longtemps, très longtemps. Tante Claude la croit dans la salle de jeu avec les autres ; personne ne s'occupe d'elle ; oui, elle est seule, toute seule, pour toujours !

Peu à peu, elle se calme, et, la joue sur l'oreiller trempé, elle réfléchit avec un détachement bizarre ; elle évoque les circonstances de sa vie, comme s'il s'agissait d'une étrangère.

Orpheline, elle n'a gardé de ses parents aucun souvenir. Recueillie par monsieur Monnier, le frère de sa mère, elle souffre auprès de Tante Claude, femme austère et sans tendresse. L'oncle Antoine, architecte de talent, se consacre à sa profession et n'a guère de temps pour la famille.

Sévère avec ses enfants, il ne s'intéresse pas à cette nièce tombée du ciel, dont il ne comprend guère la nature sensible et délicate.

« Il y a mon parrain », soupire Hélène.

Noël Sylvain, le frère cadet de son père, habite à l'étranger ; elle ne l'a vu qu'une fois, il y a bien longtemps ; il lui a paru très grand, mais alors elle était si petite ! Des lunettes, une moustache piquante, un sourire joyeux ; voilà tout ce qu'elle sait de l'oncle Noël. Il a passé comme un rêve de bonheur ; il habite maintenant loin, très loin, quelque part en Asie. Deux fois par an, il écrit à sa belle-sœur et s'informe de la fillette. Tante Claude, alors, apporte à Hélène une feuille de papier raide et gris et commande à l'enfant :

— Écris à ton parrain.

Hélène s'exécute. Les idées, qui d'ordinaire lui trottent dans la tête, fuient comme des oiseaux apeurés. La lettre, vide, banale, guindée, s'envole vers les contrées des *Mille et une Nuits.*

Ce parrain mystérieux s'ennuie-t-il, là-bas ? Souffre-t-il de la solitude, comme sa filleule ?

« Si je lui écrivais une lettre, une vraie ? Tante Claude n'en saurait rien. Je dirais tout ce que je pense. Il serait peut-être content de savoir que sa filleule, au Canada, l'aime bien fort. »

Elle s'assoit à son pupitre ; mais elle n'a pas de papier. Prendre celui de Mireille ? Elle n'ose pas. Sa cousine serait furieuse, et surtout, personne ne doit soupçonner l'audacieux projet.

Tant pis ! Sans hésiter, Hélène arrache la première feuille de son cahier neuf. La dictée impeccable n'a plus d'importance !

Ce serait facile si elle en savait davantage sur le parrain mystère. Quel travail accomplit-il ? Quels sont ses goûts, ses peines et ses joies ?

Hélène mord le bout de son crayon et commence :

Cher parrain,

Aujourd'hui, j'ai fait une dictée à l'école, et j'ai eu cent, pour la première fois. Je ne peux le dire à personne. Les autres sont méchants, ils m'appellent la Fausse Note. Je n'ai que toi.

Rassérénée, elle signe : *Hélène*, et sourit. Comme il est bon de dire, enfin, ce qu'elle a sur le cœur. « J'écrirai souvent », songe-t-elle.

Mais elle ignore l'adresse du jeune homme. Inutile de s'informer auprès de Tante Claude ; celle-ci voudra lire le message. Mieux vaut attendre une occasion, une des rares lettres de l'oncle Noël.

Le beau cahier vert, couleur d'espérance, est rangé dans le sac d'école, seule cachette où personne ne découvrira le secret.

Elle retourne, joyeuse, au grenier, où les sept ont organisé une partie de cache-cache.

Mireille cherche, se promenant à pas feutrés dans l'immense pièce. Une corde à nœuds pend à une poutre ; Dominique l'a accrochée pour sa gymnastique quotidienne. Simon, agile, a grimpé là-haut ; de son perchoir de bois, il domine le champ de bataille, et mange une pomme le plus paisiblement du monde.

Mireille, qui ne pense pas à lever les yeux, passe dix fois sous lui.

Olivier, caché sous un bahut, s'aperçoit bientôt qu'il n'est pas seul. Une araignée tisse sa toile et, à l'affût, guette une proie. Fasciné, l'observateur ose à peine respirer. Il en oublie le jeu.

Les trois Fabre sont plus loin. René, derrière un coffre qui sent le bon cèdre, se prélasse, Françoise et Lucie sont enfermées dans un placard où l'odeur de « boules à mites » risque de les asphyxier. Attirée par leurs éclats de rire mêlés d'accès de toux, Mireille découvre les deux sœurs qui jaillissent, les yeux pleins d'eau, de leur refuge.

— Un, deux, trois pour *Fa* et *La*, clame Mireille triomphante.

Hélène profite de ces minutes critiques pour rejoindre Dominique derrière une caisse de livres.

Mireille s'approche du coffre de cèdre et en fait lentement le tour, sans voir René qui bat en retraite et, par sa mimique, manifeste une vive anxiété. Bientôt découvert, il doit abandonner la lutte.

Alors monte un rire clair et frais, un rire que les Notes de la Gamme ne reconnaissent pas. Sûrement Hélène n'a jamais ri de cette façon !

Dominique, d'abord irrité, chuchote :

— Tais-toi.

Mais, devant la mine réjouie de sa cousine, il interroge :

— Qu'as-tu donc, aujourd'hui ?

— Un, deux, trois pour moi ! hurle Simon, qui, sa pomme entre les dents, a glissé à mi-hauteur de la corde et, se donnant un élan, tel un pirate à l'abordage, atterrit sur le but, un sofa bien rembourré qui amortit le choc.

— Ce n'est pas du courage, c'est de l'inconscience, constate René, sentencieux.

L'appel d'un gong monte des profondeurs de la maison.

— L'heure du dîner ! s'écrie Simon.

— Gourmand, jette Mireille.

— Moi, je n'ai pas besoin de surveiller ma ligne, riposte l'offensé.

Les trois Fabre regagnent leur maison ; les Monnier et leur cousine, frottés et peignés subissent l'inspection du père de famille.

— Olivier, tu as de la poussière sur ton chandail, va te brosser.

— *Sol* se cachait sous le bahut, taquine Simon.

— Et toi, *Si*, tu as déchiré ta culotte, riposte l'autre pour se venger.

— *Sol*, *Si*, répète monsieur Monnier, avec étonnement.

— C'est *La*, je veux dire Lucie, qui a inventé ces noms, explique Mireille. Nous sommes les notes de la gamme.

— *Do*, *Mi*, c'est nous, les grands, ajoute l'aîné.

— Je ne m'habituerai pas à cette folie, constate l'oncle Antoine.

— Et toi, Hélène ? interroge tante Claude.

Sans réfléchir, Olivier s'écrie :

— Hélène, c'est la...

Mais ses paroles s'achèvent en un cri de douleur.

— Qu'y a-t-il, cette fois ?

— *Do* m'a donné un coup de pied.

— En voilà assez ! Dominique, quitte la table immédiatement.

Le garçon, heureux de s'en tirer à bon compte, obéit. Que dirait son père s'il connaissait le surnom dont les cousins ont affublé la petite fille ? Et l'air malheureux de celle-ci le touche malgré lui. Il ne faut pas qu'elle sache, elle non plus.

Mais Hélène sait. Des larmes brillent dans ses yeux, et penaude, elle mange sans appétit la soupe fumante.

2

sol enquête

Le lendemain, chez les Monnier, Olivier a vite expédié devoirs et leçons. Il a résolu ses problèmes en un temps record, grâce à la candeur de Simon. Absorbé par son travail, le distrait a fourni, de bonne grâce, les réponses difficiles.

— Six fois huit ? glissait l'autre, persuasif.

— Quarante-huit.

— Et neuf fois sept ?

— Soixante-trois.

Il faut rendre hommage à Simon : en calcul, il ne se trompe jamais. « Quel nigaud, tout de même ! » ronchonne Olivier, qui s'en va, nez au vent.

Le bon élève a encore pour au moins une demi-heure de travail acharné.

« Que devenir ? » songe Olivier. Laissé à ses propres forces, il s'ennuie.

Pas question d'aller au rez-de-chaussée. Madame Monnier le renverra à ses moutons, ou plutôt à ses livres. Dominique et Mireille, chacun dans sa chambre, bûchent, l'un sur un thème, l'autre sur un manuel d'histoire. Rien à espérer d'eux.

Hélène ? où est Hélène ? Pas avec Mireille, en tout cas. Peut-être au grenier ?

Elle s'y réfugie depuis quelque temps. Le gamin monte en tapinois le grand escalier dont les marches gémissent. S'il fallait que madame Monnier se doute de quelque chose !

Olivier a bien deviné. Sa cousine, à plat ventre par terre, un crayon à la main, réfléchit. Le garçon a reconnu le cahier vert, le mystérieux cahier que la fillette, quand elle ne se croit pas observée, emplit de sa plus belle écriture.

Au cri d'Olivier, elle sursaute, et dissimule prestement son trésor.

— Donne-moi ça ! ordonne le garçon, qui tente de saisir l'objet convoité.

Mais elle bondit, plus vive, et s'échappe. Enfermée dans une chambre de débarras, elle riposte à travers la porte :

— Laisse-moi tranquille.

— Je ne te ferai pas mal, promet *Sol*, qui essaie, mais trop tard, la manière douce.

— Va-t'en !

— Sois gentille.

Un rire insultant.

— Et toi ?

« Je ne me battrai pas avec cette lionne », conclut le garçon, qu'impressionne un tel courroux.

Il descend à regret vers les autres. Comment expliquer l'énigme ? L'aîné en saurait-il plus long ? Il n'apprécie guère qu'on le dérange, le grand *Do*; mais tant pis, Olivier prendra des risques, pour l'amour de la vérité.

Un coup à la porte close. Une voix bourrue, déjà grave, interroge :

— Qui est là ?

— *Sol* Monnier, Service secret.

Amusé, le grand frère accueille l'agent. Sans gêne, *Sol* grimpe sur le bras d'une chaise.

— Sais-tu, toi, ce que la Fausse Note a dans son cahier vert ?

— Non, ça ne m'intéresse pas.

— Tu dis ça parce que tu n'es pas capable de le découvrir.

— Les raisins sont trop verts, murmure Dominique.
— Quels raisins ?
Olivier cherche des yeux les fruits que, peut-être, Dominique a cachés quelque part. Mais le collégien rit :
— Les raisins de La Fontaine, mon cher.
Le cadet hausse les épaules et raconte :
— Hélène est au grenier. Elle écrit.
— Tu as pu lire ?
— Non. Elle a caché son cahier et m'a injurié.
— Elle t'a dit de te mêler de ce qui te regarde...
— Et toi, ça ne t'intrigue pas ?
Dominique n'avouera pas sa curiosité.
— J'ai quatorze ans, moi. Je ne suis plus un bébé. Maintenant, file. Et... si tu apprends quelque chose, tu me le diras.
Olivier, rassuré, songe qu'après tout, Dominique n'est pas si vieux qu'il le prétend.

3
le cahier vert

« Le vingt et un mars ! Le premier jour du printemps ! » songe Hélène, qui s'éveille très tôt, ce matin-là.

Mireille, dans la même chambre, dort profondément. Le réveil n'a pas sonné.

« J'ai le temps d'écrire avant de partir pour l'école », pense notre héroïne, qui étend la main vers son sac et en sort le cahier vert dans lequel elle note presque tous les jours ses peines et ses joies.

Elle dresse entre elle et sa cousine un rempart d'oreillers. Mireille ne pourra l'apercevoir.

Cher parrain, commence-t-elle.

Aujourd'hui, j'ai onze ans. Tu ne le sais peut-être pas. Je suis si heureuse ! J'aurai sûrement un gâteau avec des bougies ; si je réussis à les souffler toutes d'un seul coup, le bon Dieu m'accordera ce que je désire. Oncle Antoine dit qu'il ne faut pas être superstitieux, mais je souhaite tellement que tu aimes un peu ta filleule.

J'ai même une autre raison d'être heureuse. Nous aurons le résultat de notre dernière rédaction, et devine ce que c'était : une description du printemps. On nous donne ce sujet chaque année, bien sûr, mais, cette fois, j'ai copié ce que je t'ai conté l'autre jour : la neige qui fondait dans notre rue en pente et les jolis ruisseaux qui se formaient sous mes yeux. N'est-ce pas ainsi que naissent les rivières ? J'ai même dit que j'étais rentrée à la maison les pieds mouillés, que Tante Claude m'avait punie. Ne faut-il pas voir avant de raconter ? J'ai écrit presque trois pages, et sans une rature.

Bonjour, parrain, Mi *bouge, il ne faut pas qu'elle devine mon secret.*

Hélène.

Mais le jour de triomphe dont rêvait la petite fille tourne mal. À l'école, mademoiselle lit les notes de la rédaction, et notre amie est nommée la dernière :

— Hélène Sylvain, zéro. Sa rédaction est bien faite, même trop bien, explique l'institutrice, on voit qu'Hélène a copié.

Un silence consterné accueille ses paroles. Les larmes aux yeux, Hélène tremble de colère impuissante. D'habitude, ses phrases banales, hachées, boiteuses remplissent à peine une page du cahier. Cette fois-là, les idées se pressaient, rapides, et l'enfant craignait que mademoiselle ne trouve son texte trop long. Faut-il nier l'accusation ?

— Vous avez raison d'avoir honte.

La voix de l'institutrice atteint Hélène comme à travers un brouillard. Dans son angoisse, elle ne se défend pas. On prend son trouble pour un aveu. Trop fière, ensuite, pour se justifier, elle répond par des injures aux fillettes qui, pendant la récréation, la poursuivent de leurs cris :

— Tricheuse ! Malhonnête !

Ses cousins, Simon et Olivier, fréquentent comme elle l'école paroissiale ; ils se montrent les plus acharnés. Les Monnier n'ont que mépris pour toutes les formes du mensonge, et le déshonneur rejaillit sur eux.

Les Notes de la Gamme sont vite au courant de l'aventure et s'assemblent à leur quartier général pour en discuter.

— Quelle honte pour nous ! proteste Dominique, indigné.

— Dire qu'elle est notre cousine, ajoute Mireille.

— Si vous aviez vu ça, à la récréation : toute sa classe ne parlait que d'elle, renchérissent les garçonnets.

René Fabre intervient :

— Vous êtes trop durs. Elle a triché, elle a menti, et puis quoi ? Est-ce plus laid que votre méchanceté ?

— Tu l'excuses, tu ne vaux pas mieux, rétorque Dominique.

— Que de grands mots ! dit René. Tu es affreusement conventionnel. Tout ce qui compte pour vous, les Monnier, c'est le succès à l'école. Le reste, la bonté, la charité, ça ne vous dérange pas.

— Tu regretteras tes paroles ! crie Mireille.

— Venez, *Fa* et *La*. Ne restons pas ici.

Lucie, Françoise et René Fabre se retirent, la tête haute, et claqueraient la porte, s'ils l'osaient.

Au dîner, monsieur et madame Monnier s'étonnent de la contrainte qui pèse sur les convives. Nul n'ose apprendre aux parents les événements de la journée, car on ne tolère pas, dans cette maison, les mouchardises. Tante Claude se lasse de parler seule. Oncle Antoine s'absorbe dans ses problèmes de bureau, et le temps s'écoule presque en silence. Hélène n'ose lever les yeux et mange du bout des lèvres. À la fin, l'appétit lui revient un peu, car, pour célébrer son anniversaire, on a servi une salade de fruits, son dessert préféré. Elle met au bord de son assiette la cerise rouge et brillante, pièce de choix qu'elle garde pour la dernière bouchée.

Simon ne résiste pas à la tentation et, d'une main preste, chipe la cerise appétissante et l'avale aussitôt.

— Le dessert du dessert, glisse Dominique, moqueur.

— C'est bon pour toi, gourmande, ajoute Olivier.

Mireille dit sèchement :

— Elle pleure pour une cerise !

C'en est trop. Hélène ne se contient plus et riposte :

— Je vous déteste.

— Après ce que tu as fait aujourd'hui, ... insinue sa cousine d'une voix pointue.

— Et qu'as-tu fait ? interroge l'oncle Antoine, exaspéré par les disputes qu'engendre à tout propos le caractère d'Hélène.

Dominique n'est pas fier de sa sœur tandis qu'en phrases mielleuses elle raconte ce qui s'est passé à l'école.

— C'est vrai, les petits ?

Simon et Olivier, confus, acquiescent.

Le justicier se tourne vers Hélène.

— Tu peux quitter la table. Tu viendras me parler dans mon cabinet de travail dans une demi-heure.

Sans elle, on mange le gâteau d'anniversaire, dont Tante Claude a retiré les bougies. Le départ de l'indésirable a allégé l'atmosphère, mais la maman s'inquiète, car elle a remarqué le regard triomphant de sa grande.

Mireille, seule fille de la famille, est la préférée de son père. Jolie, intelligente, mais égoïste, elle jalouse sa cousine, qui, pense-t-elle, lui enlève une partie de ses privilèges. Madame Monnier devine ces sentiments. Au lieu de s'apitoyer sur Hélène, elle soupire : « Cette intruse complique de plus en plus la vie de la maison et y jette le trouble. »

Hélène, sans un regard en arrière, se réfugie dans sa chambre et saisit le cahier vert. D'une écriture rageuse, elle écrit à son parrain l'injustice des autres et sa haine pour Mireille qui ne cherche qu'à lui nuire. Soulagée par l'excès même de sa fureur, elle s'apaise et pleure doucement. Au moins, maintenant, elle peut tout conter à son parrain.

Une demi-heure est vite passée. Hélène n'ose faire attendre son oncle et, cachant sous un air fantasque la peur qui l'étreint, elle frappe à la porte capitonnée de cuir brun.

— Entre, dit l'architecte. Assis à son pupitre, il fait signe à l'enfant d'approcher.

La pièce où travaille l'oncle Antoine est claire et vaste ; une immense table, éclairée par une lampe mobile, occupe la place d'honneur. Sur de grandes feuilles bleues, on distingue des plans, incompréhensibles pour la petite fille ; et partout, des crayons, des compas, des règles à dessin.

Antoine Monnier scrute le petit visage buté de sa nièce.

Incapable de lui arracher plus que des monosyllabes, il la congédie, non sans lui annoncer :

— La poupée que nous voulions t'offrir pour ton anniversaire ira à une enfant pauvre qui a plus de cœur que toi. D'ici la fin de l'année scolaire, tu me soumettras toutes tes rédactions. Va à ta chambre, et restes-y jusqu'à demain, ma petite fille.

Pour la première fois, Hélène ose défier son oncle :

— Je ne suis pas ta petite fille. Personne ne m'aime ici.

Madame Monnier, que les scènes pénibles ont brisée, vient parler à son époux.

— Cette enfant me fait pitié, Antoine.

— Bah ! Une tempête dans un verre d'eau, bougonne-t-il.

Mais il n'en est pas sûr, car un chagrin ordinaire ne ravage pas ainsi un visage. Il accorde peu d'attention à ses propres enfants et s'impatiente des problèmes que suscite, de plus en plus fréquemment, la présence d'Hélène à son foyer. Soudain, il reprend, se parlant à lui-même autant qu'à sa femme :

— Une question me préoccupe. Ma sœur était jolie, remarquablement jolie, tu te souviens. Hélène...

Il hésite un instant :

— Hélène ne l'est pas du tout.

Sans se l'avouer, il se doute bien que seul le bonheur pourrait embellir l'enfant délaissée.

Pendant ce temps, Olivier, qui passe dans le corridor, à l'étage, aperçoit, sur la table d'Hélène, le cahier vert qui intrigue tant les quatre Monnier. Dans son émoi, la fillette a oublié son trésor.

Olivier hésite. Va-t-il commettre une indiscrétion, apprendre enfin le secret de sa cousine ? « Quoi ! elle a triché, elle », se dit-il pour apaiser sa conscience.

Il se glisse dans la chambre des filles et cache sous son chandail le fameux cahier. Ainsi cuirassé, il grimpe au grenier. Dans la solitude, à l'abri des curieux, il tourne les pages. Surpris, d'abord moqueur, il est bientôt troublé par les récits brefs et poignants.

Elle est étonnante, cette Hélène inconnue ! Absorbé par sa lecture, il revit les mille incidents de la vie quotidienne, qui, pour cet insouciant, s'envolent à jamais. Peu à peu, se dégage la silhouette d'une petite fille sensible, tendre, à l'âme d'artiste ; pas du tout la cousine porc-épic de son expérience personnelle.

Certaines phrases frappent le garçonnet : *Tante Claude me parle fort. Je fais semblant d'être indifférente.*

J'ai brisé exprès la plume de Mi, *qui m'avait fait mal. Mon oncle* m'a punie.

Souvent, le soir, je m'endors en pleurant. Je suis malheureuse, personne ne m'aime, je n'ai pas de papa ni de maman à moi ; et même toi, tu m'abandonnes.

Les autres s'appellent entre eux les notes de la Gamme. Do *est Dominique ;* Mi, *Mircille,* Fa, *Françoise,* Sol, *Olivier,* La, *Lucie et* Si, *Simon. N'est-ce pas amusant ? Ils m'ont surnommée la Fausse Note. Ils croient que je ne le sais pas. Un jour, moi aussi, je changerai de nom.*

Olivier a mis une couleuvre dans mon sac d'école.

Qu'a-t-elle à dire sur cette scène ? Cette couleuvre pèse sur la conscience du gamin. L'émoi à l'école et les conséquences à la maison lui reviennent à la mémoire. La Fausse Note a été horrible, mais la Gamme ne valait guère mieux. Il lit les phrases tracées par la petite fille d'abord rageuse, puis triste, oh ! triste.

Quand j'ai mis ma main dans le sac pour prendre un livre, j'ai eu bien peur. J'ai crié. Tout le monde s'est moqué de moi, en classe, puis encore plus le soir, ici. Comme ils me détestent tous !

D'un doigt maigre et brun, *Sol* écrase une larme sur sa joue. Il renifle, atterré : « Jamais je n'aurais cru qu'Hélène, en dedans, était comme ça. Nous avons été affreux. »

Et il continue sa lecture.

Heureusement, parrain, tu ne liras pas mes lettres. Je n'oserais plus jamais t'écrire. J'essaie d'imaginer comment tu es, quel travail tu fais, et ça me rend toute tranquille dans mon cœur d'avoir quelqu'un à aimer.

Olivier n'en lit pas davantage et relève la tête : « Ça me donne une idée », dit-il à voix haute.

Sa résolution est prise.

Le visage épanoui, car il a bon cœur, il réfléchit : « J'enverrai ce cahier au parrain d'Hélène. Je dénicherai bien l'adresse quelque part ! »

Il court chercher du papier, de la ficelle, un stylo et, tâche plus délicate, il « emprunte » pour quelques minutes le carnet que madame Monnier garde près du téléphone, dans sa chambre à coucher.

Le gamin débrouillard trouve ce qu'il cherchait :

Monsieur Noël Sylvain,
1418, place Gandhi,
Nouvelle-Delhi,
Inde.

De retour au grenier, il inscrit ces mots sur le paquet solidement attaché qu'il cache dans le tiroir du bahut. Bien fin qui le trouvera, le fameux cahier !

Le lendemain matin, Olivier part très tôt pour l'école, afin de n'avoir pas à mettre Simon au courant de son projet.

Il s'arrête au bureau de poste. L'employé pèse le colis : trois onces.

— Par bateau ou par avion ? demande-t-il.

— Ça prend beaucoup de temps, par bateau ?

— Au moins un mois.

— Alors, par avion.

— C'est vingt-cinq cents par demi-once. Tu as des sous ?

— Non, avoue *Sol*, qui, désolé, fouille ses poches.

— Alors, envoie le colis par bateau, ça te coûtera seulement quatorze cents.

— Tant pis ! on n'est pas pressé...

Mais que dira Hélène quand elle constatera la disparition du cahier vert ? Olivier craint une explosion qui ne peut tarder. Il a raison ; dès le soir, la petite fille accuse Mireille, qu'elle soupçonne de lui jouer un tour ; Dominique et Simon prennent la défense de leur sœur.

— Tu mens, accuse l'aîné, tu as perdu ce cahier toi-même et tu veux que papa punisse *Mi.*

— Je ne mens pas ! Ce cahier, je l'ai laissé dans notre chambre.

— Tu as triché hier, lui rappelle Mireille, vengeresse. Maintenant, qui pourra te croire ?

— Penses-tu que tes secrets nous intéressent ? ajoute Simon du haut de ses huit ans.

Seul Olivier ne souffle mot, mais on ne le remarque pas. Plus très sûr de son droit, il n'ose avouer son indiscrétion.

« Comment affronter cette furie ? » se dit-il.

Il va s'y résoudre quand intervient monsieur Monnier :

— Mireille, as-tu pris le cahier que réclame ta cousine ?

— Non, papa.

— Je te crois. On ne s'entend plus dans cette maison ; j'ai du travail et j'exige que chacun se taise. Toi, Hélène, range mieux tes livres à l'avenir et ne parle plus de cette histoire.

Les cinq se dispersent, réduits au silence. Hélène s'attend à ce qu'un jour ou l'autre l'un de ses cousins la taquine et révèle son secret ; mais son angoisse disparaît à mesure que passent les semaines. Elle ne s'explique pas le mystère et n'ose commencer un nouveau cahier, car ses cousins, soupçonne-t-elle, n'auraient pas de pitié. Mais elle est plus seule qu'avant, car elle a perdu son confident, le parrain en Inde.

4

en pique-nique

— Vive l'été ! crie Olivier, en ce beau matin où le vent chaud de mai annonce déjà les vacances.

Le gamin traverse à cloche-pied la terrasse, bute sur un caillou et tombe, les bras étendus, sur Dominique occupé à lire.

— Triple idiot, s'exclame l'aîné, tu ne pourrais pas faire attention !

— Ce n'est pas ma faute, s'excuse le cadet, penaud.

Assis par terre, il contemple son genou écorché.

— Ce serait le comble ! Tu tombes souvent ; s'il fallait que tu le fasses exprès !

Olivier lance à son frère un regard de défi :

— Je gage que tu n'es pas capable de faire le tour de la terrasse sur un pied.

Dominique se lève, esquisse un geste et se ravise, conscient de sa dignité.

— Vous ne savez pas profiter des jours de congé, constate le petit. Toi, tu lis tout le temps. *Si* a le nez dans sa collection de timbres ; *Mi*, devant un miroir, essaie des coiffures ridicules.

— Et la Fausse Note ?

Car, malheureusement, le nom est resté.

— Ah ! mademoiselle a disparu, comme toujours.

— Pourquoi ne disparais-tu pas aussi ? File, tu m'assommes.

Outré, Olivier traverse la rue en sautant. Les Fabre seront peut-être plus aimables.

La petite maison au toit pointu se dresse au milieu d'un jardin fleuri. Le terrain qui l'entoure se confond avec le bois voisin, car, en cette banlieue nouvelle, voisine de Québec, il reste ici et là des refuges de verdure.

Quel contraste avec la vaste demeure des Monnier, dans son cadre de gazon dru !

Sur la galerie ensoleillée, Lucie Fabre brosse Cartouche, chien berger au poil noir nommé d'après un célèbre voleur du dix-huitième siècle. Elle lui confie à l'oreille :

— Tiens-toi tranquille, mon vieux, autrement nous n'en finirons jamais, et Café-au-lait attend son tour.

À l'énoncé de ces mots, un magnifique *cocker* beige agite son tronçon de queue.

— Allô, *Sol*, viens m'aider, s'écrie la petite fille.

Olivier fait mine de se diriger vers les marches, mais Lucie indique une corde qui pend du toit.

— Grimpe, c'est plus court. *Ré* s'en sert pour entrer chez lui.

Olivier, levant les yeux, aperçoit la fenêtre ouverte, utilisée comme porte pendant la belle saison.

— C'est commode, dit-il.

Mais à part soi, il songe : « Que dirait papa si l'un de nous essayait ça ? »

Il tient les pattes de l'animal pendant que Lucie lisse le poil sombre.

— Est-ce toujours toi qui soignes les chiens ? demande-t-il.

— Presque toujours. Je suis en charge de la ménagerie.

L'expression n'a rien d'exagéré, car l'Arche de Noé, selon l'expression des Fabre eux-mêmes, abrite, outre les chiens, deux chats, mère et fils, l'une noire, l'autre tigré, des rats blancs, un hamster, des poissons japonais, des perruches et une tortue ramenée d'un voyage sous la tente.

On entend quelques notes hésitantes.

Le visiteur dresse l'oreille.

— Qu'y a-t-il ?

Lucie n'a pas besoin de répondre, car la porte s'ouvre ; René surgit, jouant de la flûte. Olivier, les yeux ronds, contemple le prodige. Le chien met à profit ce moment d'inattention pour gagner, par bonds puissants, le couvert des arbres.

René n'a jamais eu d'auditeur aussi attentif que *Sol*. Quelle aubaine ! Des trilles, qui dépassent largement la technique du musicien, s'achèvent en un couac déchirant.

Sans s'émouvoir, il sourit.

— J'apprends la flûte depuis un mois.

Françoise passe la tête à la fenêtre pour annoncer :

— Nous pouvons aller en pique-nique, maman le permet.

— Chic ! Où irons-nous ? demande Lucie, habituellement satisfaite de suivre ses aînés plus imaginatifs.

— Pas trop loin, conseille René. Je suis fatigué de mes études, je travaille trop.

— Papa n'est pas de cet avis, lance Lucie.

— Tout le monde ne peut être comme *Do*, riposte son frère, faisant allusion aux succès scolaires du camarade plus travailleur.

Olivier, habitué aux querelles violentes qui naissent entre les Monnier, va s'interposer ; mais peine perdue, car déjà les joyeux Fabre ont fait la paix et dressent leurs plans de campagne.

— Nous irons à la carrière de pierre. Va prévenir les autres, *Sol*, et apportez les provisions : nous préparerons tout ici.

Madame Monnier n'apprécie pas les efforts culinaires de ses enfants, qui se réfugient plutôt chez leurs amis pour préparer les excursions.

— D'accord.

Sol, déjà, s'éloigne au pas de course.

On ne le voit jamais marcher, celui-là, dit René, admiratif.

Quelques minutes plus tard, Olivier revient, en tête d'une caravane lourdement chargée.

Lucie, qui guettait leur arrivée, ouvre la porte.

— Venez, venez, nous commençons les sandwiches.

Elle entraîne ses amis à travers la maison. Le soleil s'engouffre dans les pièces petites et claires. Un philodendron envahit peu à peu le corridor.

— Quand cette plante sera trop grande, nous déménagerons, a-t-on coutume de dire en riant.

Dans la cuisine, madame Fabre, aussi enthousiaste que ses enfants, dirige les opérations.

— Au travail, les amis, dit-elle vivement. Hâtez vous. Il fait trop beau pour rester dans la maison.

On s'affaire autour d'une grande table. Françoise, enveloppée d'un tablier rouge, tranche le pain.

— Rentre ta langue, conseille René. Tu pourrais la couper par erreur.

Il mélange une salade au poulet avec des gestes de maître queux. Les chats, Noire et Tigré, côte à côte, sur une chaise, l'observent, happant les morceaux de viande qui tombent.

Les quatre Monnier vantent les provisions qu'ils apportent :

— Voici du fromage, du jambon, des carottes crues, annonce Mireille.

— Excellent pour les yeux, déclare Olivier, futur pilote.

— De la moutarde, continue Simon, qu'on surnomme le grand moutardier du roi, à cause de son goût prononcé pour ce condiment.

— Et du jus de raisin, conclut Dominique, brandissant une cruche.

— Attention, crie Lucie, indignée, tu marches sur Vite !

La tortue, sous le choc, s'est recroquevillée ; tête, pattes et queue ont disparu sous la carapace. Tendrement, Lucie caresse sa protégée. Dominique, irrité de sa maladresse, prend le parti de se fâcher.

— Tu devrais plutôt jouer à la poupée, pauvre fille.

— J'aime mieux les bêtes, riposte la fillette, sans rancune.

— La Fausse Note viendra-t-elle ? demande Françoise.

Mais sa mère proteste :

— Je vous ai défendu d'appeler Hélène ainsi.

— On ne sait jamais ce que décidera cette drôle de fille, réfléchit le sage Simon.

— Lui en avez-vous seulement parlé ?

Les quatre Monnier se regardent, penauds. Nul n'a invité Hélène.

Sol, peu zélé pour les travaux domestiques, s'offre aussitôt :

— J'irai lui en parler.

Sous l'œil de madame Fabre, les filles emplissent les sacs à dos, les garçons bouclent les courroies. Pendant ce temps, Olivier grimpe le majestueux escalier de sa maison et fait irruption dans la chambre des filles. Personne.

— Hélène ! Hélène !

Elle n'est ni au grenier, ni au salon avec sa tante, ni dans la cuisine.

— Elle est sortie, déclare madame Monnier.

— Je vais voir dans le pommier, riposte le gamin ; c'est la cachette préférée de sa cousine.

Il s'élance dans la cour à toute vitesse, et s'arrête à mi-bond.

Hélène est chez les nouveaux voisins. On ne les connaît pas encore officiellement, car ils ont déménagé dans le quartier au cours de l'hiver, et, dans cette banlieue paisible, c'est l'été que les gens se rencontrent, causent par-dessus les haies, empruntent une brouette ou un sécateur.

Mais Hélène, parfaitement à l'aise chez ces étrangers, est assise dans le jardin, avec monsieur et madame Dupuis et une jeune fille qu'Olivier n'a jamais vue. Bien mieux, la fillette a sur les genoux un bébé rieur.

« Mille millions de mille sabords », murmure le garçonnet, fervent lecteur de Tintin.

Pour la deuxième fois, sa cousine l'étonne. Elle a de l'aplomb, tout de même.

Il approche, appelle avec un peu d'hésitation :

— Hélène !

Elle tourne vers lui un visage rose de plaisir.

— C'est toi, *Sol* ?

— Viens-tu en pique-nique avec nous ? dit-il, presque respectueux.

— Bien sûr !

Avec une assurance nouvelle, elle s'excuse gentiment auprès de ses hôtes.

— Reviens souvent, dit la belle jeune fille, avec un sourire qui émerveille le spectateur.

Hélène suit son cousin qui l'assaille de questions.

— Que faisais-tu chez les Dupuis ? Comment les as-tu rencontrés ?

— J'étais dans le pommier. J'ai entendu pleurer Sophie. C'est le nom du bébé, tu comprends. J'ai couru pour la consoler, les parents sont venus et m'ont parlé.

Songeuse, elle pense à la joie de bercer le poupon. La petite Sophie, grave et mignonne, regardait avec sagesse la nouvelle venue.

Sol, qui n'a cure d'un bébé de six mois, poursuit :

— Il a l'air sportif, monsieur Dupuis.

— Ingénieur forestier, il passe de longs mois en forêt chaque année.

— Quel beau métier !

Sol, expert en histoire naturelle, étudie avec passion les insectes et les oiseaux.

Hélène, emportée par son ardeur, continue sans attendre la question qui ne vient pas :

— L'autre personne, c'est Paule, la sœur de monsieur Dupuis. Elle passera l'été chez eux.

La jeune fille a trouvé tout de suite les mots qu'il fallait pour mettre à l'aise l'enfant timide.

Olivier bouscule un peu sa cousine trop lente.

— Hâte-toi, nous partons dans quelques minutes.

Sac au dos, on s'impatiente déjà.

— *Sol* n'est pas revenu, constate René Fabre.

— Peut-être qu'il ne trouve pas la Fausse Note, dit Françoise.

— Tant mieux, nous irons sans elle ; elle a peur de tout, juge Mireille, dédaigneuse.

René, plus charitable, pouffe de rire :

— Quand *Sol* a mis une couleuvre dans son sac d'école, elle avait bien raison de crier.

— Une couleuvre, ce n'est pas dangereux, dit Lucie, l'amie des bêtes.

— Non, mais avant de se rendre compte que cette chose froide et visqueuse n'est qu'une couleuvre, ça fait une drôle d'impression, remarque son frère, qui a le talent de voir la vie par les yeux des autres.

Olivier l'a entendu et devient cramoisi. Jamais plus il ne jouera d'aussi vilains tours à sa cousine.

Dominique, narquois, ouvre la bouche pour parler, quand Françoise, taquine, déclare :

— Excuse-moi de t'interrompre, *Do*, mais voici la Fausse Note.

— En route, lance l'aîné des Monnier, d'un ton de commandement. Il inspecte la troupe d'un œil critique.

Du sac de René, dépasse l'extrémité d'un étui de cuir.

— Tu apportes ta flûte, nous n'y échapperons pas, dit Dominique.

— Je ne sais que cinq notes, s'excuse René, conciliant.

Mireille le toise sarcastique :

— C'est bien ce que nous te reprochons.

— Et toi, ma vieille *Mi*, enchaîne Dominique, tu es trop chic pour aller en excursion. Quelle tenue ridicule !

En jupe blanche et blouse rose, l'élégante a retenu par un ruban ses boucles noires.

— Nous ne sommes pas des sauvages, riposte-t-elle, d'un ton acerbe.

Dominique s'irrite de mal distinguer, derrière les lunettes noires, le regard ironique de sa sœur.

Françoise et Lucie Fabre, plus réalistes que Mireille, sont en tenue sportive ; leurs mèches folles ont au soleil des reflets roux.

Sol, ployant sous l'effort, s'est chargé du sac de René. Celui-ci, « toujours heureux de confier des responsabilités aux jeunes », comme il dit, a habilement fait valoir la force nécessaire pour transporter la moitié des provisions. Dominique se charge de l'autre sac. *Sol* a mis en bandoulière ses lunettes d'approche, car pour un naturaliste, une promenade sans observations scientifiques manquerait d'intérêt.

Hélène paraît trop maigre dans la robe bleue qui, l'an dernier, seyait si bien à sa cousine. Elle a noué un chandail autour de ses épaules, car il fera frais au retour.

Simon, l'esprit ailleurs, fronce les sourcils. Toujours impeccable, il n'a oublié ni son canif, ni sa boussole, ni même une tablette de chocolat. Tel un écureuil, il a toujours des réserves de nourriture à portée de la main.

— En avant, marche ! crie René.

Les mains dans les poches, un brin d'herbe entre les dents, il siffle un air à la mode.

Dix minutes de marche, à travers bois, mènent la troupe à une carrière de pierre abandonnée depuis longtemps.

— On dirait un amphithéâtre, commente Mireille, déjà forte en histoire.

— Un an — quoi ? interroge Simon, qui ne laisse jamais passer un mot inconnu.

— Fithéâtre, répond Dominique.

— Ouf ! gémit *Sol*, qui laisse glisser par terre le sac trop lourd.

— Imbécile ! Ma flûte !

René examine son trésor.

— Elle n'est pas cassée, s'empresse d'affirmer *Sol*.

Dominique, résigné, soupire.

— Pas de chance. Nous aurons un concert.

René, pour toute réponse, gagne dignement un bouquet d'arbres. Tout près, un ruisseau chantonne sur les cailloux luisants. L'artiste, étendu sur l'herbe, dans la pose du pâtre antique, donne un récital sur cinq notes. Il n'a maîtrisé que celles qu'on joue de la main gauche, et quand il a interprété *Au clair de la lune, Il était un petit navire*, et quelques airs du même calibre, il recommence. Il soutient le courage de ses camarades par sa musique endiablée.

— Travaille, fainéant ! appelle Dominique.

La mélodie s'interrompt un instant :

— Vous êtes déjà trop nombreux.

— Tu ne nuiras pas du tout, insiste Françoise.

Le musicien rit dans sa flûte, qui émet des sons inattendus.

Sur la nappe à carreaux, Mireille range en ordre de bataille les gâteaux et les fruits.

Hélène, moins sportive que ses compagnons, fatiguée de la marche au soleil, n'ose se plaindre, craignant les taquineries.

Olivier, à plat ventre dans l'herbe, goûte un repos mérité. Il observe une colonne de fourmis qui monte à l'assaut des sandwiches et s'infléchit pour contourner une insurmontable boîte de biscuits ; puis, satisfaites, les bestioles, chargées de butin, font route vers la fourmilière.

— Tout est prêt, constate Simon, croquant déjà une carotte.

— Verse le jus de raisin, commande Françoise Fabre à sa sœur.

Lucie, bonne fille, s'exécute. Mais, de la bouteille trop lourde pour elle, le breuvage glacé tombe à côté des verres.

— C'est coulé *saeculorum*, jette Simon, imperturbable.

Un éclat de rire salue ces paroles mémorables.

On mange ensuite en silence pendant un bon moment, témoignage d'appétit. Mireille, soucieuse de rester svelte, a fini la première et grignote du céleri, sous l'œil moqueur de son aîné :

— Ma fille, attention à ta ligne !

René se met de la partie :

— Mademoiselle est si élégante, et mince comme un fil.

— Vous n'y entendez rien, vous êtes trop jeunes, raille Mireille, hautaine.

Françoise, plutôt rondelette, soupire :

— Comment as-tu assez de courage ? Moi, j'ai toujours faim.

— Elle fait de la bicyclette, explique Olivier, qui la trouve bien chanceuse d'en posséder une.

— Hélène aussi a toujours faim, mais elle est plus maigre que *Mi*, note Simon.

Hélène, jusqu'ici, ne s'est guère mêlée à la conversation.

— C'est vrai, dit-elle, l'été, on mangerait toujours.

— Tu exagères. Ce n'est pas encore l'été, tranche Dominique.

— Bah ! Encore huit jours, intervient Françoise.

Les Fabre comptent huit jours au lieu d'une semaine, et même vingt-quatre heures, au lieu d'un jour. Ces optimistes croient rallonger ainsi le temps.

— À quoi vous fait songer l'été ? demande René, qui poursuit, depuis quelques mois, une enquête sur ce qu'il appelle « la psychologie des enfants ».

Sol, qui aura onze ans à la fin du mois, résume d'un mot son rêve :

— À une bicyclette neuve pour mon anniversaire.

— Ce n'est pas ton tour, rappelle Simon avec une pointe de jalousie. Hélène est plus vieille que toi.

— J'ai hâte de voir les grenouilles dans l'étang, dit Lucie.

— Et moi, d'aller au camp des guides, ajoute sa sœur.

— Moi, renchérit Simon, j'apprendrai à nager. On met la tête sous l'eau et l'on respire...

— Très commode, intercale Dominique, narquois.

L'autre se rebiffe :

— Tu ne comprends rien à rien.

Une querelle s'amorce, très Monnier, mais les Fabre, plus pacifiques, se concertent et proposent :

— Une partie de balle, les amis ?

On court, on crie, on s'amuse ferme, puis les joueurs s'éparpillent. Olivier retourne à « ses » fourmis. Le vent fraîchit, et Simon, sa boussole à la main, en étudie la direction.

— Ne pourriez-vous vous amuser un seul jour sans apprendre quelque chose ? dit Françoise. À quoi vous servent les congés ?

— Rentrons, suggère Mireille, frissonnante sous sa blouse trop légère.

— D'accord, acquiesce René, qui ne bouge pas.

— Rinçons les verres tout de suite, dit Lucie, déjà femme de maison.

— Très bien. À vous, les filles. Nous ramasserons le reste, dit Dominique.

— Brûlons les papiers, propose Olivier.

— Papa le défend, rétorque Simon, plus docile. Nous n'avons pas d'allumettes, de toute façon.

Hélène et Mireille transportent les verres jusqu'au ruisseau et s'avancent sur les roches.

Soudain, une pierre bascule sous le pied d'Hélène. Celle-ci s'agrippe au bras de sa cousine qui perd l'équilibre et tombe assise dans l'eau glacée.

— Magnifique vol plané, remarque Dominique, impitoyable.

Les trois Fabre regardent la victime avec intérêt, guettant sa réaction. Simon lève à peine les yeux ; Olivier s'exclame :

— Dommage, une si belle toilette !

René, plus serviable sous ses airs nonchalants, tend la main à la malheureuse, qui pleure de dépit. Elle se tourne vers Hélène :

— Méchante ! Tu l'as fait exprès pour gâcher ma jupe.

— Mais non, je t'assure...

— Va-t'en, personne ici ne veut de toi, crie la fillette, ses mèches noires collées au front, le visage déformé par la colère.

— Il y a une fille de trop, c'est sûr, ajoute Dominique, qui prend le parti de sa sœur.

— La fille de trop ! répètent les petits frères, gagnés par le mauvais exemple.

Hélène s'enfuit dans le bois, harcelée par les voix moqueuses. Seul, René proteste :

— Vous gâchez toutes les excursions avec vos disputes ; une autre fois vous viendrez sans nous.

— *Mi*, prends le chandail oublié par Hélène, et drape-toi dans la nappe, ordonne Dominique.

La fillette, humiliée, s'esquive sous les arbres et reparaît quelques minutes plus tard.

— Un épouvantail en jupe à carreaux ! note Simon, retrouvant sa belle humeur.

— Atchoum ! fait Mireille.

— Dieu te bénisse ! exhorte René.

Dominique s'étonne. Le jeune Fabre, qui, pour une fois, en sait davantage que son camarade, explique :

— Autrefois, on croyait que l'âme de celui qui éternuait allait quitter son corps, et l'on s'empressait de dire : « Dieu te bénisse ! »

Tout en parlant, il rassemble quelques brindilles, et bientôt monte une flamme joyeuse.

— Du bois, les petits !

— Où as-tu pris les allumettes ? interroge Olivier.

— J'en ai parfois.

— Il fume en cachette, chuchote Lucie, de façon que chacun l'entende.

Son frère rougit.

— Tais-toi donc !

Scandale ! Les Monnier ne soufflent mot. Enfin, Dominique admet :

— Tant mieux, *Mi* aurait pris froid.

Bientôt crépite le feu ; l'air tremble juste au-dessus, et, avec lui, semble vibrer le paysage.

Le vent agite doucement la jupe et la blouse suspendues à une branche.

Spontanément, des lèvres de Lucie, jaillit une chanson, reprise aussitôt par ses camarades. Les doigts agiles de René éveillent sur la flûte un accompagnement simple et juste.

Les mélodies du folklore alternent avec les airs scouts. On oublie les disputes et même la pauvre Hélène, qu'on n'a pas revue.

Une chanson espagnole enchante Mireille. Gracieuse, elle se met à danser, et les autres tapent des mains pour marquer le rythme ; Dominique veut se moquer d'elle, mais René chuchote :

— Elle a du genre, ta sœur.

Mireille étale sa jupe improvisée en un grand geste final.

On applaudit.

On parle de partir. Déjà grandissent les ombres. Les garçons éteignent le feu. Mireille remet ses vêtements asséchés.

Olivier, ravi, plisse le nez.

— Tu sens la fumée, ma chère !

— Crois-tu que cela me plaise ?

Dans le ciel s'étirent les nuages mauves. Chacun se plonge dans ses pensées. Lucie remarque soudain :

— Où est Hélène ?

— Il est bien temps de songer à elle, rétorque son frère.

— Nous avons eu tort, se reproche Dominique.

Tête basse, les Notes de la Gamme n'ont plus le goût de chanter.

Sur la terrasse de leur maison, monsieur et madame Monnier jouissent de leur journée qui s'achève.

— Voici les enfants, dit la mère.

— Quelles mines penaudes ! ajoute son mari.

Les Fabre se détachent du groupe, après de brefs adieux.

— Je ne voudrais pas être à leur place, murmure Françoise, qui a de l'architecte une crainte salutaire.

Combien plus facile de conter les incartades au docteur Fabre, jovial et patient !

Monsieur Monnier flaire un mauvais coup et toise les quatre qui fixent obstinément le bout de leurs pieds.

— Que vous est-il arrivé ?

Dominique, chef de file, bredouille une phrase évasive.

— Tiens-toi comme un homme et parle plus clairement, interrompt le père.

Le garçon redresse les épaules et, puisqu'il n'y a pas d'autre issue, fait un récit bref et exact des événements : la chute de Mireille, la querelle, la fuite d'Hélène.

Madame Monnier s'esquive, monte rapidement l'escalier et frappe chez sa nièce. Pas de réponse. Elle entrouvre la porte.

Hélène s'est endormie tout habillée, les yeux rougis de larmes. Entrée à l'insu de Tante Claude, par la porte de service, elle a pleuré longtemps. Elle n'a plus la consolation d'écrire à son parrain. Depuis la disparition du cahier vert, elle n'ose continuer ce journal qui la consolait. D'autres enfants trop seuls ont des compagnons imaginaires. Hélène, elle, a inventé son parrain, confident des joies et des peines, et voilà qu'on lui a enlevé même ce consolateur.

Tante Claude ignore la détresse de la petite fille. Éducatrice dépourvue de tendresse, elle se penche vers cette enfant toute de nuances et de délicatesse et ne la comprend pas. Elle ne trouve, en cette nièce de son mari, nulle résonance familière, et son propre cœur l'effraie.

Hélène est-elle vraiment, comme l'a avoué Dominique avec une cruelle franchise, la petite fille de trop ?

5
six fois huit

Olivier Monnier secoue rageusement sa porte, verrouillée par l'extérieur. Peine perdue. Il est bel et bien enfermé dans sa chambre, par ce beau samedi de juin.

Enfermé par son père, qui, sur la foi du dernier bulletin, redoute, pour son fils, un échec à l'examen de calcul. Voyant que l'étude n'avançait guère, par ces journées radieuses qui évoquent les vacances, il a pris les grands moyens. On ne tolère pas la médiocrité dans la famille des Monnier.

Mais comment étudier, quand on n'a que des pensées de révolté ? Olivier arpente la pièce, tête basse et poings crispés.

Il ouvre toute grande la fenêtre qui donne sur la rue. En face, chez les Fabre, Lucie joue à colin-maillard avec des camarades.

— Quel passe-temps idiot ! Si j'avais ma liberté, je les ferais changer de jeu.

Simon est-il avec la voisine ? Tant mieux si ces plaisirs tranquilles lui suffisent ! Ce bébé, trop sûr de lui, se moque de *Sol* avec impudence.

Sans doute, si Olivier n'avait boxé Simon à cause d'une vieille rancune, leur père n'aurait pas songé à punir l'agresseur. Mais, justement, l'architecte n'admet pas les vieilles rancunes. D'ailleurs, le coupable, trop fier pour s'expliquer, préfère un châtiment qui a l'avantage de lui sembler injuste.

Non, Simon n'est pas chez les Fabre. Il arrive, traînant le pas, le regard perdu. À quoi rêve-t-il encore ? Bien sûr, ce phénix ne risque pas d'échouer à l'examen de calcul : « un si bon élève », songe Olivier, avec un sourire amer.

Françoise part en bicyclette et adresse un salut au prisonnier.

— Tu ne sors pas ? crie-t-elle gaiement, car elle ignore les malheurs de son ami.

Ces paroles ont suscité mille projets dans l'imagination du prisonnier.

« Si je partais pour une heure ? Papa est absent ; maman, de la cuisine, ne me verra pas. Je reviendrai ; personne ne se doutera de rien... »

Il se penche à la fenêtre. C'est haut. Va-t-il oser ? On n'attire pas volontiers la colère de monsieur Monnier.

Un coup d'œil aux livres épars sur le pupitre. Les pauvres livres, ils achèvent leur carrière aux mains peu respectueuses du gamin. Ce qu'il sait le moins, ce pauvre Olivier, ce sont les travaux de multiplication. Il comprend les problèmes, oh oui ! mais il se trompe de chiffres, il s'énerve et embrouille tout.

Sa résolution est prise. Comment descendre jusqu'au sol ? Le moyen classique des draps de lit échouerait, car c'est une preuve trop évidente à laisser derrière soi. Cela n'a rien de décoratif, et que dirait l'architecte s'il voyait cet ornement à la façade de sa maison ?

Reste la gouttière. Elle est, heureusement, à sa portée. Tiendra-t-elle s'il ne donne pas de secousses ? Il est souple et léger pour son âge.

« Si je tombe, si je me casse les os, tant pis pour papa ! » conclut-il avec sa logique originale.

Il glisse lentement le long du tuyau de fer. Une main le saisit, l'aide à atterrir en douceur ; la voix de René s'élève, sarcastique :

— Félicitations. Mais je te conseille de remonter au plus vite, garnement.

— Et pourquoi ? riposte le fugitif, qui fait face aux deux aînés, Dominique et René.

— Parce que Papa se fie à ton honneur, figure-toi, rétorque Dominique.

L'imagination fertile d'Olivier lui suggère un argument décisif :

— Si papa se fiait à mon honneur, comme tu dis, il ne verrouillerait pas ma porte. Et s'il verrouille la porte, il n'a qu'à verrouiller aussi la fenêtre.

— Échec au roi, note René, qui écoute avec intérêt les deux frères.

— Je t'ordonne de remonter, commande Dominique, furieux.

— Engage-toi plutôt dans un cirque. Quel acrobate ! admire René.

— Laisse-moi passer.

Olivier fonce sur l'aîné qui lui barre la route.

— Tu te sauves, hein ? Je l'avais bien dit à papa.

Le gamin hésite entre la tentation et la vertu.

— Le bon petit garçon va s'enfermer dans sa chambre où il étudiera sagement, pronostique le jeune Fabre.

Cette phrase chasse les dernières hésitations d'Olivier. Il se glisse entre les deux garçons.

Son frère est partisan d'une bonne poursuite. Olivier, habile à se cacher, leur donnerait du fil à retordre, mais René, plus clément, plaide pour le coupable.

— Laisse-le donc.

— D'accord.

— C'est tellement moins compliqué d'être un Fabre, conclut René en riant.

Olivier n'ose se mêler aux jeux de ses amis, car ils auraient vite fait de le trahir sans le vouloir. Il cherche Hélène, qu'il découvre dans le jardin des Dupuis. Elle cause avec la jolie voisine et boit quelque chose ; on dirait une orangeade.

— La chanceuse ! murmure le garçon, qui s'ennuie et refuse de l'avouer.

Depuis qu'il a lu le journal de sa cousine, il s'est mis à observer celle-ci. Gentil pour elle, il a été récompensé par l'attitude d'Hélène, qui, peu à peu, s'apprivoise. S'il pouvait l'attirer, elle, bien sûr, respecterait le secret de *Sol* ; elle comprendrait, car elle comprend tant de choses !

Mais le temps passe, et *Sol* se résout à entrer. Personne en vue. Il commence son escalade, mais il est plus difficile de grimper que de descendre le long d'une gouttière.

Une voix courroucée interrompt ses efforts :

— Tu peux monter par l'escalier.

Monsieur Monnier paraît à la fenêtre, et son fils, penaud, court jusqu'à la porte de la maison. Il entre, traverse le corridor, gravit les marches de plus en plus lentement. Il rattache le lacet de son soulier, lisse d'une main ses mèches ébouriffées. Mais quoi qu'il fasse, il finit par arriver à sa chambre. L'architecte ne dit mot et désigne d'un geste les livres ouverts. Olivier s'assoit au pupitre et tente d'étudier. Il sait que son père, derrière lui, le surveille ; le garçon, nerveux, marmonne des mots sans suite et craint d'éclater en sanglots. Surtout, pas cela !

Son père en a pitié.

— Je m'en vais, dit-il ; que je ne te revoie pas avant le dîner !

— Oui, papa.

La porte se referme avec un claquement sec. Olivier, la tête dans les mains, n'a plus honte, maintenant, des larmes qui roulent entre ses doigts.

Hélène, mise au courant par ses cousins des méfaits et du chagrin d'Olivier, que Mireille a entendu pleurer, se désole.

Elle ne peut sûrement lui enseigner les tables, elle les sait à peine elle-même, et n'ose d'ailleurs affronter l'oncle Antoine.

Elle se met en quête de René Fabre, qui d'habitude est de bon conseil. Facile à repérer, il joue de la flûte dans le bois, derrière chez lui — sa famille exige qu'il répète ses cinq notes hors de la maison.

— Bonjour, *Ré*, dit-elle.

— Bonjour. Écoute ceci.

Elle s'assoit dans l'herbe à ses côtés, admire *Frère Jacques*.

Il essuie soigneusement le bec de l'instrument et demande :

— Je peux t'aider ?

— *Sol* est puni.

— Oui, pauvre petit gars.

— Toi, tu pourrais le sortir d'embarras. Les autres ne voudront pas, et moi, je ne suis pas capable.

— Moi ? Comment ?

— Si tu lui montrais ses tables, l'oncle Antoine lui pardonnerait.

— Et pourquoi me demandes-tu d'aller au secours de *Sol* ? Tes cousins te traitent si mal.

— Pas lui. Depuis quelque temps, il a changé.

— Tu es trop bonne. Mais, pour toi, je veux bien essayer.

Il se lève et, rassemblant son courage, va chez les Monnier.

— Monsieur, me permettez-vous de parler à Olivier ?

Il ne faut pas dire *Sol* !

L'architecte estime ce camarade de Dominique. Celui-ci, intransigeant, ne peut que gagner au contact du garçon moqueur et lucide.

— Olivier est dans sa chambre, voici la clé.

— Merci, monsieur.

Après un clin d'œil à Hélène, sa complice, René va trouver Olivier et l'interroge. Comment *Sol* peut-il obtenir des résultats aussi effarants avec de simples chiffres ? Et le moyen de vaincre en si peu de temps pareille ignorance ?

— Je vais te montrer le truc du neuf, déclare René. Tu sais deux fois neuf ?

— Dix-huit, riposte *Sol*.

— Eh bien ! Tu prends le deux de deux fois neuf, tu retranches un, ça te donne un, le premier chiffre de la réponse, le chiffre des dizaines. Pour trouver le chiffre des unités, tu dis neuf moins celui des dizaines, c'est-à-dire, neuf moins un, et tu as huit. Le total des deux chiffres, c'est toujours neuf.

René inscrit rapidement sur une feuille :

18, 27, 36, 45, 54, 63, 72, 81.

— C'est pourtant vrai, murmure Olivier. Deux plus sept, trois plus six, quatre plus cinq, ça fait neuf.

— Pour avoir vingt-sept, ajoute René, il faut prendre le trois de trois fois neuf, et enlever un. Voilà le chiffre des dizaines, deux...

— Et j'obtiens vingt-sept, se rengorge l'écolier. Enfin, je vais épater *Si* !

Encore quelques minutes et Olivier peut réciter la table du neuf.

— Mais les autres ? demande-t-il.

Encouragé par ce premier succès, René applique aux tables sa science des facteurs des nombres.

— Quand tu ne sais pas, par exemple, six fois huit, tu remplaces le six par quelque chose de plus facile. Deux par trois, ça fait six, n'est-ce pas ?

— Bien sûr.

— Au lieu de 6 x 8, tu essaies 2 x 3 x 8. Tu multiplies le 8 par 3, puis ce premier résultat par 2.

— Et j'obtiens 3 x 8 = 24, puis 24 x 2 = 48, jubile Olivier.

Pour s'assurer que ce dernier a compris, René le questionne longuement. Quand Olivier, par des calculs souvent ardus, est parvenu aux bonnes réponses, le maître déclare :

— Tu peux te présenter à ton père, maintenant.

Monsieur Monnier s'étonne de résultats aussi rapides, et félicite le professeur autant que l'élève.

Mais le véritable moment de triomphe de René survient trois jours plus tard, quand l'écolier annonce fièrement :

— Je n'ai fait que deux fautes. J'ai réussi l'examen, grâce à toi !

René proteste avec honnêteté :

— Grâce à Hélène, plutôt. Elle m'avait demandé de t'aider.

Cloué sur place par la surprise, le petit garçon réagit vite :

— Alors, j'irai la remercier, elle aussi.

Il disparaît en trois bonds, suivi des yeux par René, qu'amuse un tel enthousiasme.

L'amitié qui s'ébauchait timidement entre Hélène et Olivier reçoit ce jour-là sa consécration définitive. Seul parmi les Monnier, et pour une raison qu'il n'a pas l'audace d'avouer, il s'est intéressé à sa cousine. Simon ne demande pas mieux que d'imiter son frère. Dominique veille à ce qu'on traite avec équité la petite fille de trop. Seule, Mireille, outrée par les défections qu'elle pressent, se cabre et montre à Hélène plus de rancœur qu'auparavant.

6

la bicyclette

— Bonne fête, Olivier ! Bonne fête, Olivier ! chantent les sept autres enfants, réunis sur la terrasse, chez les Monnier.

Le garçonnet, qui a onze ans aujourd'hui, se penche pour souffler les bougies dont les lueurs pâlissent à l'éclat du soleil.

Câlin, il se tourne vers sa mère :

— C'est mon gâteau préféré. Merci, maman.

Elle sourit. Comme elle est fière de ce garçon plein de vie : « une vraie dynamo », dit-elle parfois. Mais où est donc l'architecte ?

Il arrive justement, et pousse d'une main une magnifique bicyclette rouge, le cadeau que désirait ardemment Olivier.

— C'était le tour d'Hélène, bougonne Simon, poussé par le sens de la justice.

Ces paroles jettent un froid. Dans le silence embarrassé, Tante Claude ose à peine regarder le visage soudain fermé, hostile de sa nièce.

Mais Hélène n'a jamais dit qu'elle désirait une bicyclette. On a conclu qu'elle n'y tenait pas. À vrai dire, Antoine Monnier y a songé à l'anniversaire de la petite fille, le printemps dernier. Mais les enfants grandissent ; les études, les vêtements, la nourriture coûtent cher, et l'architecte s'était rendu aux arguments de sa femme.

Si Hélène ne désirait pas de bicyclette, autant réserver la faveur à Olivier, qui en parlait sans cesse. Impossible d'en acheter deux la même année.

— À ta guise, avait-il dit, tu connais les goûts d'Hélène mieux que moi.

Accusée de tricherie à l'école, l'enfant avait été privée de cadeau, et tout avait concouru à convaincre madame Monnier que sa décision était la bonne. Mais aujourd'hui, elle ne sait plus, elle craint de s'être trompée.

Cependant *Sol*, malgré son bon cœur, est tout entier à sa joie et ne remarque pas qu'Hélène, comme un oiseau blessé qui cherche la solitude, s'est enfuie dans la maison.

Sa tante ne peut la suivre, car on réclame son concours pour servir des jus de fruit, distribuer le gâteau, admirer la bicyclette. Mais elle mesure maintenant la négligence dont elle a fait preuve.

— Mireille, glisse-t-elle à sa fille, va chercher Hélène, et ramène-la.

Inutile de répliquer. Sa cousine a grimpé au grenier, croyant qu'on l'y laisserait en paix.

— Maman veut que tu reviennes, dit Mireille, sans gentillesse.

— Je n'irai pas.

— Tu es jalouse de *Sol*. C'est laid, tu sais.

— Je suis jalouse, et puis quoi ? Va-t'en, dis-leur que je les déteste.

Mireille, avec un rire moqueur, lance sans réfléchir :

— Papa te garde par charité. Crois-tu qu'il va t'acheter une bicyclette et priver pour toi un de ses enfants ?

Hélène, avec un cri, s'est jetée sur sa cousine, qui recule, effrayée. Jamais Hélène n'a éprouvé pareille colère. Elle secoue par les épaules sa cousine, trop surprise pour se défendre, lui laboure les joues de ses ongles, lui tire les cheveux.

Mireille parvient à se dégager et se sauve en pleurant.

Pendant quelques jours après cet incident, on tient Hélène à l'écart. Elle mange à la cuisine et n'a pas le droit de partager les jeux des autres. Trop fière pour rapporter les paroles de sa cousine, et ce « papa te garde par charité » qui lui glace le cœur, elle endure sans se plaindre la punition. À quoi bon, d'ailleurs, incriminer Mireille ? Croirait-on l'intruse, l'étrangère ? Et l'autre se vengerait, à coup sûr.

Ah ! si, au moins, Hélène n'avait pas perdu son cahier vert ! Elle pourrait, à ce confident muet, dire sa peine. Elle ne s'explique pas plus que le premier jour la disparition du cahier ; mais, chose certaine, si Mireille l'avait volé, elle aurait livré le secret, surtout maintenant.

Et la voisine, Paule Dupuis ? Comment aller trouver Paule, accuser sa cousine d'une telle horreur ? Non, la petite fille se replie sur elle-même ; elle n'ose rompre le silence qui scelle ses lèvres.

— Un vrai hérisson, commente Dominique, lors d'une orageuse discussion avec René au sujet d'Hélène.

Le jeune Fabre, perspicace, et mêlé de plus loin aux événements, soupçonne quelque tour de Mireille et prend en pitié la Fausse Note.

— Vous êtes horriblement conventionnels, dans la famille. Cette fille est différente et vaut cent fois mieux que vous.

— Idiot !

— Il vous faut, à l'école, rafler tous les prix, être des modèles en tout ; mais, au fond, vous n'êtes que des orgueilleux et des égoïstes. Nous, les Fabre, n'avons pas à nous prouver à nous-mêmes que nous sommes des génies.

— Tais-toi, menace l'autre garçon, ou je dis à ton père que tu fumes.

— Tu es trop noble pour me trahir.

Dominique, furieux, ne se retient plus :

— Je sais, ce n'est pas conventionnel de fumer, pour un gars de quatorze ans. Ça paraît bien, ça te vieillit ; mais ton père te fera passer cette habitude quand je le lui dirai.

— Écoute, *Do*, sois chic, supplie René, vraiment inquiet.

Ils se quittent assez froidement, et le collégien n'ose plus intercéder en faveur d'Hélène. Mais les jours passent, et tout retombe dans l'ordre. Pourtant, Hélène et Mireille s'observent : le feu couve sous la cendre.

7

embuscade

Un grillon emplit le silence de son cri tenace. La chaleur de cet après-midi de juillet pèse sur la nature engourdie.

À trente pas de la maison des Fabre, six enfants se blottissent derrière la haie. Un murmure, aussitôt interrompu par des « chut » impérieux, court dans leurs rangs.

À l'avant-garde, Olivier, excité par l'événement qui va se produire, brandit un pistolet à eau. Accroupie à ses côtés, Lucie, admirable de sang-froid, lui donne gravement des conseils. Françoise et Mireille, plus nerveuses, ont le fou rire. Imperturbable, Simon observe la scène avec détachement. Hélène, qui d'habitude ne participe pas aux escapades de la Gamme, éprouve l'angoisse des entreprises nouvelles.

Ils retiennent leur souffle, les yeux rivés sur la porte close. Là, d'une seconde à l'autre, va surgir René Fabre. Le taquin a joué, le matin même, un tour pendable à toute la bande.

La porte s'ouvre ; Olivier chargé de la *vendetta*, pointe son arme. Sur le seuil paraît un jeune garçon vêtu de blanc, une raquette de tennis à la main. La future victime, cible idéale pour les conspirateurs, se tient immobile, la tête à demi tournée pour parler à quelqu'un à l'intérieur.

— Feu ! commande Mireille impatiente.

Sans plus réfléchir, son frère presse la détente. Pour son malheur, *Sol* est tireur d'élite.

L'adolescent reçoit sur la tête tout le jet d'eau. Une voix courroucée, qui n'est pas celle de René, s'élève :

— Qui m'a arrosé ?

La panique s'empare des agresseurs. C'est, au milieu des risques et des cris, une fuite éperdue.

— *Do* !

— Nous nous sommes trompés !

— Il est bien fâché !

— Hâtons-nous !

Dominique, le premier moment de surprise passé, court dans la direction des fuyards. Simon a les jambes courtes et tire de l'arrière. Françoise, dévouée, le remorque d'une main ferme. Confiant, il ferme les yeux pour courir plus vite.

Dans le cœur d'Hélène, petite fille paisible, s'éveille l'ardeur de la lutte. Elle évoque la belle histoire de Madeleine de Verchères, qui, traquée par les Iroquois, leur abandonne son foulard. Si Dominique attrape une des nattes de la fillette, que devenir ? Mais Olivier s'est fait depuis peu le chevalier servant de sa cousine et règle son pas sur celui d'Hélène.

Dominique, porté par la colère, gagne rapidement du terrain. Devant l'imminence du péril, Simon a une idée :

— Séparons-nous !

On admire la sagacité du benjamin ; on s'éparpille aux quatre points cardinaux.

— Je vous retrouverai ! hurle Dominique ; vous me paierez ça.

Ah ! oui, il leur ôtera pour longtemps le goût des plaisanteries. Il concentre ses efforts pour attraper *Sol*, qui n'a pas lâché le pistolet ; mais quelques mots clouent tout le monde sur place.

— Arrêtez ! commande monsieur Monnier.

Il est clair que cette scène lui déplaît. Il a son air des mauvais jours et passe en revue la troupe silencieuse.

Dominique, les mains crispées sur sa raquette, les cheveux mouillés, les yeux étincelants, attend le verdict.

— Que se passe-t-il, Dominique ?

— J'ai reçu de l'eau lancée par ces bandits.

Les « bandits », admirant la justesse du tir, auraient ri s'il s'était agi de René et si l'architecte n'était pas intervenu. Ils se contentent de baisser la tête en prévision du châtiment. Hélène découvre la joie d'une camaraderie nouvelle.

Dominique ramasse l'arme du crime, que *Sol*, dans son émoi, a laissé échapper.

— Pistolet à eau, explique brièvement l'aîné.

Son père toise les coupables.

— Qui a tiré ?

Olivier fait un pas en avant.

— C'est moi, papa.

Françoise se rapproche du gamin.

— J'ai eu l'idée.

Un « Ah ! » enthousiaste salue les paroles courageuses.

Simon explique l'erreur :

— Nous voulions jouer un tour à *Ré*, je veux dire à René, pas à Dominique.

Celui-ci paraît soulagé et déjà plus clément. Olivier continue :

— Les autres n'ont rien fait. Ils étaient là seulement pour voir.

— Ils y étaient de tout cœur, raille l'aîné.

— Même Hélène, s'étonne l'oncle Antoine.

Olivier achève avec orgueil :

— Je suis le chef de l'expédition.

Ce titre qu'il affectionne lui semble plus glorieux dans l'infortune.

— Tu n'as pas à t'en vanter, réplique monsieur Monnier. Dominique, à toi de fixer la punition.

Abandonné à lui-même, le garçon n'aurait pas ménagé ses cadets. Mais on lui confie l'administration de la justice : il perd la faculté d'assouvir une vengeance personnelle. Sa rigueur s'en trouve adoucie. L'architecte juge l'aventure assez drôle et veut mettre son grand à l'épreuve.

Dominique cherche une punition équitable.

— Regardez-moi, ordonne-t-il.

Six paires d'yeux se tournent vers lui.

— Vous m'écrirez le récit de ce qui vient de se passer : une belle rédaction, comme à l'école. À mon retour du tennis, je ramasserai les copies.

Il s'éloigne dignement ; son père rit sous cape et songe : « Quel pensum ! je n'aurais pas trouvé mieux. »

Les enfants retournent sur le lieu du crime, près de la haie, et s'assoient dans l'herbe. René passe, sa flûte à la main : il va jouer sous bois.

Étonné du silence qui accable les six, il s'informe :

— Avez-vous avalé des manches à balai ?

On le met au courant. Sincèrement désolé, il s'apitoie :

— Pauvres amis ! Tout cela à cause de moi.

Avec un clin d'œil malicieux, il ajoute pour les réconforter :

— Quand vous aurez fini, rejoignez-moi dans mon antre, et je vous conterai l'aventure de l'hippopotame devenu oiseau.

On reprend courage ; René se demande bien quelle sera l'histoire dont il a improvisé le titre. Les péripéties les plus bouffonnes surgissent dans son imagination, et d'avance, il en rit tout seul.

Une heure plus tard, Dominique recueille les copies terminées ; la dernière, Hélène a paraphé sa feuille avec application et la remet à son cousin. Celui-ci admire les écritures soignées ; l'autorité de monsieur Monnier se fait sentir de loin. Dominique s'amuse des formules drôles de Françoise, du style télégraphique de cette pauvre Lucie, dénuée d'imagination. Des « moi, je » émaillent les phrases nerveuses d'Olivier. On décèle chez Mireille une froideur ironique, chez Simon toute la rigueur de la science.

Le texte d'Hélène dépasse de beaucoup ceux des autres. L'enfant, qui, à l'école, ne mérite que des piètres notes, se révèle une conteuse originale. Les observations très personnelles, le sens du drame, le style clair et déjà fort étonnent le jeune humaniste.

Où a-t-elle appris à écrire ainsi ? Peut-être dans son cahier vert... Seule du groupe, elle a découvert qu'elle peut, avec des mots de tous les jours, décrire des événements réels.

Dominique, songeur, relit trois fois le texte. Cette Hélène inconnue l'intrigue. Elle n'avait donc pas triché dans sa rédaction, l'autre fois. « Il faudra le dire à papa », se promet-il, soucieux de réhabiliter l'enfant aux yeux de tous.

Pendant ce temps, les six ont grimpé à différents paliers d'un gros érable ; René commence d'un ton mystérieux :

— Il était une fois un hippopotame qui s'ennuyait...

8

saint-ferréol

Hélène ne quitte l'érable que pour son pommier favori. Un livre à la main, elle gagne son observatoire. Nulle brise n'agite les feuilles rondes, les pommes minuscules, à peine rosées ; comme tout sent bon, le soleil, les fruits et l'herbe, plus bas, qu'embaument les fleurs de trèfles !

Une voix sonore fait sursauter l'enfant.

— Eh ! la petite fille du pommier !

Écartant les branches, elle se trouve nez à nez avec monsieur Dupuis.

— Viens-tu à la campagne avec nous ? Mon frère a une ferme à Saint-Ferréol.

Un sourire illumine le visage trop pâle d'Hélène.

— Il faudrait demander la permission.

— Je me charge de ta tante. Conduis-moi.

Monsieur Dupuis présente à madame Monnier sa requête :

— Nous aimerions emmener votre nièce en promenade.

Tante Claude hésite. Faut-il confier Hélène aux nouveaux voisins ? Cette enfant la tient en état d'alerte ; une fois de plus, les grands yeux tristes fixés sur elle rendent la tante inquiète et sur la défensive.

Chaque fois qu'Hélène rend visite aux Dupuis, elle revient joyeuse, détendue. Des amis communs ont assuré l'architecte de la bonne foi des Dupuis. Non, Hélène ne court aucun danger avec eux. Peut-être comprendront-ils, mieux que sa propre famille, la petite fille de trop.

— Tu peux aller avec monsieur Dupuis, finit-elle par dire.

Cette femme austère ne s'attend pas du tout à l'élan qui jette dans ses bras l'enfant reconnaissante ; Hélène s'enfuit, confuse de son geste affectueux.

— Cette petite fille est charmante, dit monsieur Dupuis avec enthousiasme, toujours douce et spontanée.

— Vous trouvez ?

Hélène, assise sur la banquette arrière de l'automobile, la petite Sophie sur les genoux, regarde défiler à la portière le paysage des Laurentides. La route monte, monte, l'air devient plus pur. Les oreilles s'emplissent d'une rumeur d'océan, causée, explique madame Dupuis, par le changement de pression dû à l'altitude.

Paule présente fièrement le paysage de son enfance, et décrit avec des mots d'artiste la ronde des saisons. L'ingénieur forestier parle de la maladie qui, voilà quelques années, a ravagé les bouleaux et les a transformés en mâts dénudés parmi les conifères.

À Saint-Ferréol, Hélène, entraînée par un groupe d'enfants de son âge, explore le poulailler, l'étable, la laiterie. Elle s'amuse avec le chien, va « aux vaches » avec les petits fermiers, pose des questions saugrenues et s'amuse de tout son cœur.

Elle revient fourbue, les nattes défaites, le visage rose de plaisir. Dans la cour, Paule a dressé un chevalet et peint les montagnes violettes. Sur la toile, renaissent la beauté sauvage des bois, le ciel serein, illimité.

— Vous êtes chanceuse, murmure l'enfant extasiée.

— Essaie toi-même.

Munie d'une immense tablette de papier et d'une boîte de pastels, Hélène interroge :

— Que dois-je dessiner ?

— La ferme, si tu veux.

Les traits, d'abord hésitants, s'affermissent. Les impressions toutes neuves d'Hélène guident sa main. On distingue les bâtiments groupés autour de la maison familiale. De drôles de petits moutons se promènent alentour, assez semblables aux nuages qui dansent la ronde dans un firmament très bleu. Une vache, le cou penché, broute patiemment. Le chien poursuit une poule.

Jamais Hélène n'avait osé dessiner autre chose que les modèles proposés à l'école. Les crayons qui tachent les doigts, la grande feuille rugueuse, la compagnie de Paule, l'admiration de monsieur Dupuis qui s'est approché enchantent la petite fille.

— Ne bougez pas, vous deux, dit-il gaiement. Je vous photographie.

Paule essuie ses pinceaux et nettoie la palette de bois, qui a l'air d'un arc-en-ciel.

Examinant le croquis de la petite fille, elle y discerne un véritable talent.

— C'est très bien, Hélène.

— Gardez-le. Je vous le donne.

Car où mettre ce dessin chez les Monnier ? Jamais elle n'osera le montrer à personne, par crainte des taquineries.

Paule se réjouit du cadeau :

— Merci. Dans cette ferme, vois-tu, j'étais une petite fille comme toi ; tu viendras souvent travailler avec moi, je te montrerai.

Hélène, ravie, n'a pas le temps d'exprimer sa gratitude, car le fermier appelle les convives.

— Venez dîner, tout le monde !

Jamais Hélène n'a pris part à un repas aussi joyeux. Avec les sept enfants du fermier et la petite Sophie dans la chaise haute, ils sont quatorze autour de la table. On félicite Hélène, on épingle son chef-d'œuvre au rideau de la cuisine.

— C'est là que nous mettions les dessins de Paule, expliquent les deux frères Dupuis.

Avant le départ pour Québec, les enfants entraînent Hélène vers la niche. À part le *colley* qu'elle connaît déjà, elle découvre une famille d'épagneuls ; les trois petits, âgés de deux mois, roulent pêle-mêle dans la poussière.

— Qu'ils sont gentils ! s'extasie Hélène.

La fermière, souriante, offre :

— Tu peux en choisir un, si ça te plaît.

— Je pourrais le garder ?

— Bien sûr. Lequel préfères-tu ?

D'instinct, l'enfant choisit le plus gauche, le plus petit, pour le serrer sur son cœur.

Mais si elle n'ose emporter un dessin chez l'oncle Antoine, comment y amènera-t-elle un animal ?

Elle en a tellement envie qu'elle ne s'arrête pas à ce problème.

— Il faut partir, déclare monsieur Dupuis, car le bébé pleurniche un peu.

La radio emplit l'automobile de belle musique ; il fait noir ; le paysage s'estompe ; Hélène n'a jamais connu tant de bonheur dans sa vie. Même si elle n'écrit plus à son parrain, elle pense souvent à lui, surtout en des moments comme celui-là.

Elle a dû s'endormir, car un arrêt brusque l'éveille en sursaut.

— Bonsoir, Hélène, ne te perds pas en route, taquine monsieur Dupuis.

Encore engourdie, la petite fille, son chien dans les bras, trébuche en montant l'escalier.

Il est tard, les cousins sont couchés depuis longtemps. Les Monnier accueillent froidement leur nièce dont ils commençaient à s'inquiéter.

— À qui est cette bête ? interroge l'oncle Antoine.

— Il s'appelle Ami. Le fermier m'en a fait cadeau.

— Pas de chien ici ! coupe-t-il.

Hélène se rebelle :

— Il ne vous dérangera pas. Je le soignerai seule.

— Il salira tout, déclare Tante Claude.

Hélène insiste :

— Les Fabre ont des chiens, des chats, et bien d'autres animaux.

— Nous ne tenons pas une ménagerie, nous, tranche son oncle, d'un ton sans réplique. Tu rendras cette bête à ses propriétaires dès demain.

L'architecte met le petit chien dans une grande boîte de carton et ferme la porte de la cuisine. Hélène, en larmes, se glisse dans son lit. Elle n'a plus envie de dormir ; mais, la jeunesse aidant, elle tombe bientôt dans un profond sommeil, où l'oncle Antoine menace le petit chien avec un pinceau démesuré.

9

ami

La lumière dorée du matin entre à flots dans la chambre des filles. Hélène s'agite dans un demi-sommeil. Un bruit perce à travers son rêve. Que se passe-t-il ?

Une plainte, un petit cri insistant monte jusqu'à l'étage. Le chien, là-bas, dans la cuisine, s'ennuie. Un coup d'œil au réveil : à peine six heures.

La fillette revêt à la hâte une robe fraîche. Les marches de l'escalier craquent sous ses pas. Pourvu que l'oncle Antoine ne se doute de rien...

Elle rejoint son nouvel ami ; tout joyeux de quitter sa boîte, il bondit, frénétique, à travers la pièce. Parfois, il marche sur ses longues oreilles et roule, grosse balle de laine noire.

— Chut ! n'éveille personne. Je te donne à manger.

Elle choisit, dans l'armoire à vaisselle, une jolie assiette avec une fleur peinte au fond, y verse un peu de lait qu'elle a pris soin de réchauffer.

Avec des claquements secs de langue, l'animal a bientôt lapé le bon liquide ; il croque maintenant des biscuits, et sa queue bat de gauche à droite, comme le balancier d'une pendule.

Hélène, heureuse, caresse la petite bête reconnaissante. Quelqu'un, enfin, a besoin de son affection. Mais l'oncle Antoine se laissera-t-il fléchir ?

Le sort d'Ami se règle autour de la table, pendant le petit déjeuner. Les cousins, pour une fois, prennent en bloc la part d'Hélène :

— Quel beau chien !

— Nous le soignerons bien.

— Papa, permets-nous de le garder.

Madame Monnier observe un silence hostile. Son mari, inflexible, tranche la question.

— Il ne restera pas ici.

Hélène serre contre son cœur la pauvre bête. Tante Claude regarde sans aménité les deux compagnons.

— Il perdra des poils sur le tapis, il égratignera les portes.

Mireille, plus audacieuse que ses frères quand il s'agit d'affronter l'autorité paternelle, plaide la cause perdue :

— Papa, nous aimerions tous avoir un chien.

D'habitude, l'architecte se laisse fléchir par le ton câlin de sa fille, mais pas cette fois.

— N'insistez pas ; Hélène, débarrasse-nous de cette bête.

Les convives attaquent leur céréale sans enthousiasme. Hélène tourne les talons et quitte la pièce. Olivier fait mine de la suivre, mais d'un geste son père le retient : elle reviendra.

Hélène n'a qu'une pensée. En dépit de l'heure matinale, elle sort, emportant le chien, traverse le jardin et va sonner chez les Dupuis. Paule lui ouvre la porte et reçoit dans les bras une petite fille éplorée. L'enfant sanglote si fort qu'elle ne parvient pas à s'expliquer.

Elle se calme un peu ; la jeune fille, inquiète, la conduit au salon et la fait asseoir tout contre elle.

— Raconte-moi ton gros chagrin.

Tandis que l'épagneul explore la maison et furète partout, Hélène raconte la scène qui l'a bouleversée.

Elle ne voit pas, sur le visage de Paule, la trace d'une vive colère. Les Monnier ne comprendront-ils jamais le besoin d'amour, de dévouement qu'éprouve leur nièce ?

Mais, avec douceur, la grande amie explique :

— Vous êtes cinq enfants à la maison ; ta tante a beaucoup de travail.

— Je m'occuperais seule de mon chien.

— Dans une famille, personne n'est tout seul. Mais j'ai une idée. Nous garderons Ami pour toi. Tu viendras le voir tant que tu voudras.

Hélène relève son visage mouillé de larmes, et la joie la rend presque jolie :

— Vous croyez que monsieur Dupuis le permettra ?

— J'en suis sûre. Tu n'as pas déjeuné, tu mangeras avec nous, et nous en discuterons.

Monsieur Dupuis consent de grand cœur à adopter Ami.

— J'ai toujours rêvé d'avoir un chien, dit son épouse, mais tant que nous n'avions pas de maison à nous, c'était impossible.

— Ma femme refusait d'élever un Terre-Neuve ou un Saint-Bernard dans notre appartement de trois pièces. Un épagneul prendra moins de place.

Et le taquin, heureux d'avoir fait rire la petite invitée trop grave, téléphone lui-même à Tante Claude. L'oncle, bourru, se rebiffe quand il apprend où est Hélène :

— Je n'aime pas que cette enfant se réfugie chez des étrangers quand nous la contrarions.

Mais, ô surprise, Tante Claude prend la part de la fillette :

— Les Dupuis sont bons pour elle ; son caractère s'améliore depuis qu'elle les fréquente.

Son mari hausse les épaules. Que lui importe : l'éducation de cette enfant trop différente des siens ne le préoccupe guère, il en laisse volontiers la charge à son épouse.

C'est ainsi qu'après un excellent repas, Hélène veille à l'installation d'Ami chez ses protecteurs.

Une boîte de bois garnie d'une vieille couverture, rapportée d'un chantier de bûcherons, servira de lit ; une portion de la céréale favorite de Sophie, un grand bol de lait, et voilà le chien en confiance. Le bébé lui fait fête, le poursuit à quatre pattes, si bien que l'animal, épuisé, n'a d'autre ressource que de se réfugier au fond du vestiaire, à l'abri des caresses trop brutales.

Paule amène sa petite amie dans le solarium, où elle travaille habituellement. Elle y a installé un atelier où elle fabrique des émaux. Un petit four de briques, une table où s'alignent des pots de couleur, des instruments mystérieux, poinçons ou palettes, intriguent la visiteuse.

Sur un chevalet, les montagnes violettes, peintes la veille, achèvent de sécher. À la place d'honneur, sur le mur, Paule a accroché le cadeau d'Hélène : la ferme avec ses nuages et ses moutons.

— Veux-tu dessiner ? suggère la jeune fille.

Sur la table de travail, elle dispose des pots de gouache, de longs pinceaux et une belle feuille blanche, qui intimide l'enfant :

— Je ne suis pas capable, s'inquiète Hélène.

— Mets ce tablier, pour ne pas tacher ta robe.

Hélène obéit, car elle craint les reproches de Tante Claude.

— Maintenant, dessine n'importe quoi, fais des expériences. N'aie pas peur.

Hélène s'en donne à cœur joie. C'est bien plus amusant que les pastels ! Elle découvre le plaisir de couvrir de formes et de couleurs autant de feuilles qu'elle le veut.

Pendant ce temps, Paule trace sur le cuivre les dessins qu'elle enduit ensuite de poudre. Les ocres et les bruns vont surgir à la cuisson. Elle dispose ses pièces dans le four et dit à l'enfant :

— Tu as fait du bon travail. Si tu le désires, tu pourras, tous les matins, venir à l'atelier.

— Déjà midi ! il faut que je rentre.

Elle lave soigneusement ses mains et le bout de son nez ; personne, chez les Monnier, ne se doutera de ses exploits. De cette façon, elle pourra revenir souvent chez son professeur bénévole.

Les cousins interrogent vainement Hélène sur son emploi de la matinée. Leur curiosité se heurte à des réponses fermes, mais évasives.

10

la lettre de l'inde

Les Notes de la Gamme ont envahi le salon des Fabre ; quand il pleut, ils fuient leur grenier, car, même aux jours les plus sombres, l'Arche de Noé, pleine de couleurs et de chansons, leur semble ensoleillée.

— Il va pleuvoir jusqu'à la nuit, annonce Dominique Monnier.

— Rabat-joie, taquine Françoise Fabre. Il y a un pouce carré de ciel bleu à l'ouest.

Sol, le nez sur l'aquarium, observent les poissons qui le lui rendent bien. Tour à tour, goupils, bêtas, « vidangeurs » viennent examiner l'étrange créature qu'est pour eux un petit garçon aux yeux vifs.

Dominique et René discutent quelque point obscur des règlements du baseball. Les voix déjà graves s'élèvent peu à peu, le ton s'envenime. Françoise écoute d'une oreille distraite et cherche à retrouver, au piano, une mélodie entendue à la radio, la veille.

Lucie caresse les chats blottis sur ses genoux et multiplie les conseils à sa sœur jusqu'à ce que, n'y tenant plus, elle la rejoigne. Noire et Tigré se réfugient en maugréant sous une chaise basse. Mireille compte à haute voix les mailles de son tricot. Elle achève la dernière manche d'un chandail blanc, tâche difficile qu'elle a menée à bien. À la fenêtre, Simon regarde les gouttes de pluie se poursuivre mollement de l'autre côté de la vitre. Laquelle arrivera la première au bout de sa course ? Pourquoi l'une ralentit-elle, alors que l'autre gagne brusquement du terrain ?

— Où est la Fausse Note ? demande soudain Françoise. On ne la voit plus, le matin.

— Elle va chez les Dupuis tous les jours, répond Mireille.

— Que fait-elle chez eux ? s'étonne Lucie.

— Ça ne m'intéresse pas de le savoir.

— Avoue plutôt qu'elle refuse de te le dire, coupe Olivier.

— Est-ce qu'elle te le dit, à toi ? siffle Mireille, hautaine.

Pris au dépourvu, il reste bouche bée.

Simon, plus observateur que les autres, sous ses airs absents, explique :

— Hier, elle est revenue avec une joue toute noire. Je le lui ai fait remarquer. Elle était furieuse.

— Joli caractère, note René.

— Les Dupuis se chauffent peut-être au charbon, hasarde Françoise, jamais à court d'idées.

— On ne chauffe pas les fournaises en été, objecte son frère.

— Elle n'écrit pas comme avant. Il n'est plus jamais question du cahier.

— Elle ne l'a jamais retrouvé ? interroge René, mis au courant par les petits qui lui content tout.

— Elle a bouleversé toute la maison, explique Simon.

— Elle a même fouillé dans mon pupitre, rappelle Mireille avec rancune. Elle prétendait que je l'avais volé, ce cahier.

— Vous êtes si gentils pour elle, vous n'auriez jamais fait cela, raille René.

Olivier adresse une grimace aux poissons. Pourquoi a-t-il donc expédié au loin le cahier vert ? Il a mauvaise conscience, et le secret trop longtemps gardé rembrunit son caractère, à mesure que passent les jours. Bientôt, un mois et demi !

— Cette fille ne nous confie jamais rien, remarque Dominique.

René ajoute :

— C'est vrai, même avec la meilleure volonté du monde, on n'arrive pas à l'approcher.

— Le facteur, annonce Simon, de son observatoire.

L'employé des postes remet à Françoise, qui l'accueille à la porte, une pile de revues médicales destinées au docteur Fabre. Apercevant les Monnier qui revêtent leurs imperméables, car déjà sonne midi, l'homme interpelle les enfants qu'il connaît bien.

— Voici votre courrier, cela m'évitera de passer chez vous.

Dominique examine rapidement les enveloppes.

— Une lettre de l'Inde !

— Ce doit être du parrain d'Hélène, devine Mireille.

— Maman gardera le timbre pour moi, souhaite Simon, le collectionneur.

— Mais la lettre est adressée à la Fausse Note, déclare l'aîné.

Les Monnier se pressent autour de lui. C'est bien vrai : « Mademoiselle Hélène Sylvain ».

Ils s'en vont à la hâte ; Olivier voit avec angoisse approcher l'heure de rendre des comptes.

— Vous nous tiendrez au courant, crient de loin les Fabre.

Hélène, qui mettait le couvert, discerne dans les voix de ses cousins un émoi qu'elle ne s'explique pas. L'enfant accourt, une assiette à la main.

— Une lettre pour toi ! annonce Simon, avec emphase.

— Lis-la tout haut, conseille Dominique. *Mi* se meurt de curiosité.

— Toi aussi, réplique sa sœur, outrée.

Mais une déception les attend, car Hélène, arrachant l'enveloppe à Dominique, s'enfuit dehors, malgré l'averse. Elle n'a qu'un désir : lire sa lettre dans la solitude.

Elle grimpe dans son pommier et déchire l'enveloppe, sans abîmer le timbre, à cause de Simon.

Son regard court à la signature :

Ton parrain,

Noël Sylvain.

Elle déchiffre avec un peu de difficulté l'écriture très personnelle de l'oncle inconnu.

Chère filleule,

J'ai reçu tantôt un paquet du Canada que m'envoyait monsieur Olivier Monnier, un de tes cousins, celui que tu appelles Sol, *n'est-ce pas ? Juge de ma surprise ! C'était le cahier dans lequel tu m'écris si joliment ce qui t'arrive.* Sol *a peut-êre voulu te jouer un tour ; mais c'était un bon tour, car il m'a fait connaître une petite fille que j'aime déjà beaucoup.*

Je me croyais seul au monde : je me découvre une filleule au cœur d'or. Je suis un parrain ordinaire, un vieux garçon qui ne mérite pas d'aussi charmantes lettres ; mais je te demande de m'écrire quelquefois. Je m'ennuie, loin du pays. Je te promets de t'écrire aussi, et de penser souvent à toi.

Je sais que ton anniversaire est passé, car tu es une petite fille du printemps ; mais je t'envoie quand même un cadeau que tu recevras ces jours-ci.

As-tu une photo de toi ? J'aime bien savoir avec qui je corresponds.

Ton parrain,

Noël Sylvain.

Hélène pleure et rit en même temps. Elle a tout lu d'un trait, et maintenant, elle relit, en pesant chaque mot, le message venu de l'autre côté du monde.

Intimidée, elle songe aux joies et aux peines qu'elle livrait à un confident imaginaire. Voici qu'un vrai parrain en chair et en os a surgi, qui la connaît mieux que personne, à cause du cahier. Faut-il en vouloir à *Sol*, ou le remercier ? Hélène aura-t-elle encore le courage d'écrire, osera-t-elle conter, comme avant, ce qui lui passe par la tête ?

On appelle de la maison :

— Hélène ! Hélène !

Dégringolant de son pommier, elle court changer ses vêtements trempés et se présente à table alors que les autres mangent leur dessert ; mais personne ne lui reproche son retard, accroc à la stricte discipline de la maison.

Elle se raidit pour affronter les cousins qui l'assaillent de questions, mais Tante Claude, voyant l'air malheureux de sa nièce, défend qu'on importune la fillette ; l'oncle Antoine ne rentrera que le soir.

Le repas fini, les Monnier n'ont rien de plus pressé que de courir chez leurs amis, pour conter l'aventure au reste de la Gamme.

Sol, qui a dû avouer son rôle dans l'affaire, s'attarde auprès d'Hélène et cherche ses mots.

— Je te demande pardon...

— Ne dis pas cela, interrompt sa cousine.

Dans les yeux de la fillette, luit une expression qu'Olivier n'y a jamais vue.

— Tu es peut-être contente, risque-t-il.

Songeuse, elle hésite :

— Je ne sais pas encore.

— Tu prendras ma bicyclette tant que tu voudras.

Dans sa confusion, le garçonnet veut partager son bien le plus précieux. Et, tournant les talons, il rejoint ses camarades.

Ceux-ci, bien décidés à obtenir des précisions, exigent d'Olivier le récit de son exploit. Mais, retenu par une réserve qu'il ne s'explique pas, le gamin n'offre que des réponses vagues.

— Ne fais pas le mystérieux, lui reproche Françoise.

— Monsieur se croit important, raille Dominique.

— Moi, je, moi, je, susurre Mireille.

— *Sol* change, note René, plus perspicace. Il ne se vante presque plus.

Depuis que, dressé contre ses camarades pour défendre Hélène, il a pris confiance en lui-même, Olivier n'éprouve plus le besoin de se faire valoir.

— Vous êtes des gens très compliqués, remarque Françoise paresseusement ; René, pour clore l'incident, attaque sur sa flûte une gamme endiablée, le chant de guerre de la troupe.

11

pauvre si

Ce soir-là, Hélène, seule dans la salle à manger, mordille le bout d'un crayon neuf. Que peut-elle maintenant écrire à son oncle Noël ? Sa première lettre, courte et guindée, lui coûte de longs efforts :

Cher parrain,

Tante Claude m'a donné un dollar et m'a dit : «Va t'acheter du papier à lettres convenable pour écrire à ton parrain.» Elle avait son air des grands jours ; sans ça, peut-être que je lui aurais sauté au cou !

Je t'envoie une photo de moi. J'aimerais avoir un nez droit et de beaux cheveux noirs, comme Mi. *L'autre personne, sur la photo, c'est Paule, avec qui je suis allée à Saint-Ferréol. Elle demeure juste à côté, et je dessine avec elle tous les matins. Je lui ai montré ta lettre, ça ne te fâche pas ? Elle est ma seule amie.*

Tu m'intimides beaucoup, maintenant que je t'écris pour vrai.

Ta petite fille du printemps,

Hélène.

Il faut jeter cette lettre à la poste tout de suite, sans la relire, autrement le courage lui manquera.

Le soleil radieux éclaire le paysage nettoyé par l'averse de tantôt.

Sur la terrasse, Simon, l'atlas sur les genoux, cherche la route de l'Inde, avec la même ardeur que Christophe Colomb.

Hélène montre sa lettre.

— Pour mon parrain, dit-elle.

— J'irai pour toi, offre-t-il gentiment, car cette cousine devient tout à fait intéressante.

Elle accepte avec gratitude et contemple la carte de l'Inde, pendant que le garçonnet se dirige au pas de course vers le coin de la rue.

Le voilà qui revient triomphant. Il oblique soudain pour traverser la rue. Un horrible grincement, une automobile qui freine, mais trop tard. Elle a heurté l'enfant, l'a projeté sur la pelouse.

Hélène pousse un cri ; ses jambes ploient sous elle, mais elle court vers son cousin inanimé.

D'autres l'ont précédée, monsieur Dupuis et le chauffeur de l'automobile, qui balbutie :

— Il s'est précipité devant moi, je n'ai pu l'éviter.

L'ingénieur forestier aperçoit Hélène :

— Cours chez le docteur Fabre, et préviens ton oncle.

Hélène rebrousse chemin, le cœur battant. Simon est-il mort à cause d'elle ? Le visage pâle, les yeux clos, il ne bouge pas, tel un pantin abandonné.

Non, le petit garçon n'est pas mort. Quand Hélène revient, escortée des parents inquiets, Simon ouvre les yeux, il veut s'asseoir.

— Il s'est foulé un genou, il s'en tire à bon compte, dit le médecin. Reste tranquille, mon bon, il ne faut pas bouger.

Les amis et les voisins ont vite formé un attroupement. Les yeux pleins de crainte, le gamin voit tous les visages tournés vers lui. Son père le soulève délicatement, l'installe sur la banquette de l'auto, à côté de sa maman.

On le conduit à l'hôpital pour des radiographies qui achèveront de rassurer ses parents.

Dans la confusion causée par l'accident, on ne s'occupe guère d'Hélène. Seule, Mireille s'en prend à sa cousine :

— C'est ta faute !

Car elle a vu partir son frère, la lettre à la main.

Interdite, Hélène reste sans voix ; les yeux brouillés de larmes, elle suit Paule vers la maison des Dupuis.

Hélène, blottie près de sa grande amie, ne retient plus ses sanglots.

— *Mi* a raison. C'est ma faute, répète-t-elle, toute tremblante.

Paule voudrait protéger l'enfant sensible et délicate que dédaignent ses cousins.

La jeune fille laisse son imagination l'emporter vers l'Orient. La lettre de Noël Sylvain a réjoui Paule, qui s'attache déjà à la petite fille du printemps.

« Quel joli surnom ! songe-t-elle. Comme il semble bon, ce parrain ! »

Bientôt, tout rentre dans l'ordre. Simon, qui reviendra à la maison le lendemain, en sera quitte pour la peur, et passera dix jours au lit.

Ce soir-là, devant toute la famille, Hélène après un regard à Mireille, dit à monsieur Monnier :

— Mon oncle, l'accident est arrivé par ma faute. *Si* revenait de mettre une lettre à la poste pour moi.

Dominique, surpris, admire le courage de sa cousine. Mireille n'en ferait pas autant.

L'architecte met sa main sur la tête brune et, d'une voix émue, déclare :

— Ce n'est pas ta faute, petite fille. Simon n'a pas regardé où il allait. Que son épreuve serve de leçon à tous.

Le lendemain, on fête, comme il se doit, le retour du rescapé. Mais Simon, dolent, en a vite assez de la joie bruyante des Notes de la Gamme.

Madame Monnier congédie les enfants, qui retournent à leurs jeux. Seule Hélène s'attarde :

— Si tu me le permets, ma tante, je resterai près de *Si*, je ne le fatiguerai pas.

— Ah oui, maman ! plaide le gamin.

Sa mère accorde la permission.

Hélène va chercher son papier à lettres et, tandis que Simon, détendu, s'endort, elle écrit. Les émotions de la veille lui ont fait retrouver son naturel. Oubliant sa timidité, elle reprend, avec son parrain, les confidences interrompues.

Simon, les premiers jours, se rengorge. Quel plaisir, bien installé sur les oreillers, de laisser les autres le servir ! La paix dorée, quoi. On lui apporte de bons petits plats, les desserts préférés du gourmand, et autant de pommes qu'il en désire. Mais les autres se lassent d'être sages, et, trop turbulents, fatiguent le malade. Simon, de son côté, trouve le temps long ; il a mal au genou, il voudrait bien courir comme avant et, resté nerveux, il a parfois envie de pleurer pour des riens.

Seule sa cousine réussit à l'apaiser. Hélène renonce aux jeux de son âge et passe des heures au chevet de l'enfant qui la réclame.

Elle lui conte des histoires. Elle change sa voix, mimant les personnages. Tour à tour loup, pirate, bandit de grand chemin, elle donne libre cours à sa fantaisie.

Simon, jusqu'à présent, ne se plaisait qu'aux encyclopédies, aux traités scientifiques écrits pour les jeunes ; une exception, pourtant : l'histoire de Buffalo Bill, parce que, disait-il : « quand quelqu'un a vécu pour vrai, on n'a pas le droit d'inventer ».

Maintenant, l'éloquence de sa cousine le transforme. Il se découvre de l'imagination.

— Où les prends-tu, tes histoires ? demande-t-il.

— Je les invente. Il y en a toujours dans ma tête.

— Moi, déplore le gamin à l'esprit positif, je pense le jour et je rêve la nuit.

— Vous autres, les garçons, vous vous amusez autrement. Mais surtout, pas un mot à personne !

— Tu dois être fière, pourtant, s'étonne-t-il. *Mi*, qui se croit si fine, n'en inventerait pas la moitié.

— Les autres riraient de moi. Si tu le dis, je ne te conterai plus jamais rien, menace-t-elle.

Tandis que les autres, en cette fin de vacances, continuent leurs joyeuses parties, Hélène consacre des heures à distraire Simon. Tante Claude ne s'explique pas l'affection nouvelle qui unit les deux enfants ; mais ce qui compte, c'est le sourire du petit malade, qui ne se plaît qu'avec sa cousine.

Sur la terrasse ensoleillée, ils causent, jouent aux dames, au serpent, regardent des livres, font des casse-tête.

Un dimanche matin, Antoine Monnier reçoit un appel téléphonique d'un de ses clients. Il annonce à son épouse :

— Monsieur Lefort nous invite à sa maison de campagne aujourd'hui.

— Qui est monsieur Lefort ? interroge sa femme.

— Un financier très riche, qui me confiera peut-être les plans d'une usine. J'ai préparé pour lui des esquisses.

— Mais les enfants ?

— Il les invite aussi. Il faut que vous veniez ; c'est un vieux monsieur irascible, un refus de notre part l'insulterait. Songe que ce travail représente une grosse affaire pour moi.

— Simon ne peut encore marcher.

— Trouve quelqu'un pour rester avec lui, par exemple la femme de ménage.

Excellente frotteuse, celle-ci inspire aux Monnier plus de crainte que de sympathie, et la maman soupire :

— Le pauvre petit sera déçu.

L'architecte s'impatiente :

— Simon n'est plus un bébé. Il s'ennuiera, voilà tout. Nous ne renoncerons pas à cette promenade. Nous n'avons pu prendre de vacances à la campagne.

— Tu as raison.

Au moment du départ, Hélène s'émeut des larmes que son cousin essaie vaillamment de refouler.

— Je resterai aussi, dit-elle, et la joie de Simon la récompense de ce gros sacrifice.

Mireille s'attarde à dessein et, la voix mauvaise, glisse à la petite fille :

— Tu n'es pas de la famille, toi, tu n'étais pas invitée, de toute façon.

Mais Dominique revenait chercher un chandail et l'a entendue.

— Tu n'es pas jolie avec cette expression sur ton visage, dit-il à mi-voix.

Il commence à juger sévèrement Mireille ; celle-ci, consciente de cette désaffection, en garde rancune à Hélène. L'intruse, avec ses nouveaux airs de sainte nitouche, n'est qu'une cause de discorde chez les Monnier.

12

les roses rouges

Dix jours ont passé. Guéri, Simon délaisse bientôt sa cousine et reprend ses jeux de garçon. Hélène en éprouve du chagrin, mais ne proteste pas ; seulement, elle écrit de plus longues lettres à son parrain, qu'elle négligeait pendant la maladie de son cousin. Elle recommence à dessiner chez Paule et s'enhardit, encouragée par les conseils de son professeur.

Un matin, alors qu'elle est chez les Dupuis, comme à l'accoutumée, un livreur vient porter chez les Monnier un paquet pour « Mademoiselle Hélène Sylvain ».

Sol, piqué par la curiosité, court chez les voisins et ramène Hélène ; dans sa hâte, elle apporte par mégarde le dessin qu'elle vient de terminer.

La petite fille ne sait que faire de la grande boîte grise, encombrante et légère, qu'elle trouve dans le vestibule.

— C'est une poupée ! déclare Simon, trompé par la forme.

— Mais enlève donc le couvercle ! insiste Olivier, qui trépigne d'impatience.

Dominique oublie de feindre l'indifférence, qui, croit-il, sied bien à ses quatorze ans. Mireille aide sa cousine à soulever le couvercle. Un parfum pénétrant embaume la maison.

Hélène écarte d'une main tremblante le papier ciré : des fleurs aux longues tiges souples, aux pétales constellés de gouttes d'eau.

— Des roses rouges ! s'écrie Mireille, extasiée. Mais qui envoie des fleurs à la petite cousine, comme s'il s'agissait d'une grande personne ?

— Voici une carte, note Olivier, furetant dans la boîte.

Sur le carton blanc, un nom seulement : « Noël Sylvain ».

— C'est impossible ! se rebiffe Simon, le bon sens personnifié. Il est en Inde.

— Ignorant ! coupe Dominique, très homme du monde. On télégraphie à une boutique, et le tour est joué.

Ramassant le dessin que sa cousine a laissé tomber sur le sol, il s'éloigne en l'examinant.

Mireille, pour une fois, aide Hélène. Les deux petites filles disposent dans un grand vase les fleurs magnifiques.

— Veux-tu en mettre une dans tes cheveux ? offre gentiment Hélène, prouvant sa reconnaissance.

— Tu m'en donnerais une ?

— Bien sûr !

L'aînée rougit de plaisir et fixe dans ses boucles noires la rose qui lui donne l'air d'une gitane.

Hélène hésite. Gardera-t-elle son trésor pour elle seule ? Non, toute la famille en jouira ; elle dispose le vase sur le téléviseur, bien en vue, dans le salon.

Il s'agit de ne pas se montrer égoïste, quand on a un parrain aussi bon.

Puis, elle s'enfuit dans son pommier, pour dire à son oncle le merci qui lui brûle les lèvres, et qu'elle ne peut exprimer qu'en phrases simples et sincères.

Le soir, Dominique et René se concertent :

— Qui est ce parrain mystérieux ? a demandé le jeune Fabre.

— Nous n'en savons rien. Allons le demander à maman.

Les deux amis vont trouver madame Monnier, qui, assise près du bouquet, tricote les *mitaines* de l'hiver prochain.

— Maman, parle-nous du parrain d'Hélène. Nous ignorons tout de lui.

— Sauf son nom, évidemment, ajoute René.

— Je n'en sais pas beaucoup plus long, dit madame Monnier. Je ne l'ai vu que deux fois, quand les parents d'Hélène se sont mariés, puis lorsque sa filleule avait quatre ans. Il est économiste.

Devant l'air perplexe des garçons, elle explique :

— Les économistes évaluent les richesses d'un pays, et montrent aux gens comment en tirer le meilleur parti possible. Noël, ses études terminées, s'est engagé à l'Unesco.

Nouveau regard étonné des adolescents.

— L'Unesco, c'est un organisme international qui vient en aide aux pays sous-développés. Envoyé d'abord en Algérie, puis en Indochine, le parrain d'Hélène habite en Inde depuis cinq ans. Il aide, là-bas, à mettre sur pied une agriculture plus moderne, des industries qui permettront à ce pays de faire face aux problèmes d'une population sans cesse grandissante.

— Quel métier passionnant ! dit Dominique, enthousiaste.

— Il ne revient jamais au Canada ? demande l'autre.

— Depuis l'accident d'automobile, il n'a plus personne.

— Sauf Hélène, corrige René, doucement.

— Quelle drôle d'idée que d'envoyer des fleurs à une petite fille ! remarque Dominique.

— Noël a toujours été un original, commente sa mère. Ma belle-sœur me l'a souvent répété.

— Voici papa, dit Dominique soucieux.

« Aurait-il un méfait sur la conscience ? » songe son camarade. René, très franc avec son père, comprend toutefois les réticences de Dominique.

Cependant, monsieur Monnier, après un bref bonsoir à son épouse, gagne son cabinet de travail. Il s'y enferme très longtemps ; une tâche urgente à finir, peut-être.

Derrière la porte close, Antoine Monnier réfléchit. Sur la table, un grand carton a tout de suite attiré son attention. Mais qui a peint à la gouache ce paysage qu'anime un soleil éclatant ? Des arbres chargés de fruits montent à l'assaut du ciel au bleu profond, des oiseaux s'élancent jusqu'à l'horizon barré de montagnes. Un dessin d'enfant, bien sûr, mais d'un enfant doué d'un talent exceptionnel. Emportant le dessin, l'architecte va trouver sa femme, qui tricote encore sous la lampe du salon.

— Regarde, Claude, ce que j'ai trouvé.

Une exclamation de surprise.

— Qui a fait cela ?

— Devine.

— Mireille, peut-être ? Ou Dominique ?

— Ils n'ont pas cette audace, ces traits simples et forts.

— Olivier ? Simon ?

— Trop jeunes, l'un insouciant, l'autre trop précis, je crois.

— L'un des Fabre ? Ils sont doués pour la musique.

Un silence. Puis une question qui ne semble pas avoir de rapport avec le problème :

— Que fait Hélène, chez les Dupuis, tous les matins ? demande l'oncle Antoine ?

— Tu as raison. Elle doit dessiner avec mademoiselle Dupuis, qui enseigne aux Beaux-Arts. Mais est-ce possible ?

— Je n'y comprends rien.

Se reportant, par la pensée, vingt ans en arrière, il évoque le jeune homme qu'il était alors ; il hésitait entre la carrière d'architecte et celle d'artiste-peintre. Aucun de ses propres enfants n'a hérité de ce talent. Voilà que cette petite fille de sa sœur révèle déjà des aptitudes remarquables.

— Elle a sûrement peint autre chose, dit-il soudain. Je vais voir cette voisine.

Quelques minutes plus tard, il sonne à la porte des Dupuis, qu'il ne connaît que de vue. On s'étonne de cette visite tardive ; il est presque dix heures.

Paule vient ouvrir. Elle n'a jamais vu de près l'oncle Antoine ; mais elle comprend la crainte qu'il inspire à sa nièce et doit elle-même se dominer pour lui faire face. Que signifie la présence de l'architecte ? Comment expliquer son air bourru, le ton bref avec lequel il demande :

— Vous êtes mademoiselle Dupuis ?

— Oui, monsieur.

— J'ai trouvé chez moi un dessin d'Hélène.

Paule a pâli. Si l'oncle veut interrompre les leçons, quel chagrin pour la petite fille ! Mais il s'informe :

— Je suppose que vous en avez d'autres...

Rassurée, la jeune fille entraîne le terrible oncle vers la chambre où dort Sophie. La lumière, heureusement, n'éveille pas le bébé. En silence, Antoine Monnier examine l'un après l'autre les cartons accrochés au mur : beaucoup de fleurs, une marine où le ciel et les vagues se confondent en un tourbillon gris, un cirque avec des clowns et des chevaux savants, un aquarium, des chats, des perruches, une tortue, bref, peinte de mémoire, toute la ménagerie des Fabre. Voici l'épagneul que l'architecte a chassé de chez lui. Il éprouve un peu de honte, car il sait bien que les Dupuis ont recueilli l'animal.

L'architecte, taciturne de nature, est bouleversé, et ne parle guère. C'est avec émotion qu'il remercie Paule de son dévouement ; elle refuse toute rémunération pour les leçons qu'elle a données à l'enfant ; sa fermeté en impose à l'architecte, qui n'insiste pas.

— Au moins, laissez-moi payer le matériel, les couleurs, le papier...

« Pourquoi pas ? » se dit la jeune fille. « Peut-être s'attachera-t-il davantage à l'enfant, puisqu'il s'y intéresse soudain. »

Le lendemain, après le déjeuner, Antoine Monnier, soucieux, apostrophe sa nièce :

— Hélène, viens dans mon cabinet de travail. J'ai à te parler.

Mireille, indifférente, ne réagit pas, mais les trois frères, qui ont appris à aimer leur cousine, s'inquiètent. Seul Dominique, qui, la veille, a déposé dans le bureau de son père le dessin d'Hélène, soupçonne la cause de cette convocation.

La petite fille a envie de pleurer. Que lui reproche-t-on, cette fois? Elle a pris soin de ne pas riposter aux sarcasmes de Mireille, et les garçons deviennent plus gentils envers elle. La dernière fois que son oncle a voulu ainsi lui parler, c'était au sujet de la rédaction qu'on l'accusait d'avoir copiée.

— Assieds-toi, ordonne monsieur Monnier de sa voix brève.

Elle obéit, tremblant un peu ; toute menue dans le grand fauteuil de cuir rouge, elle ne souffle mot. Son oncle l'observe, ému et agacé en même temps par une crainte aussi évidente. Puis, il va chercher dans l'armoire, parmi les plans et les devis, le paysage aux belles couleurs.

— J'ai trouvé cela hier.

Comme Paule, l'enfant croit d'abord qu'on lui défendra de dessiner. Non, mon Dieu, pas cela !

Mais il ajoute :

— Je te félicite. J'ai parlé hier soir à ton amie. Tu n'auras plus besoin de dessiner en cachette.

La tension a été trop forte, et Hélène éclate en sanglots. Interloqué, son oncle, qui s'attendait à une explosion de joie, lui tend un mouchoir, la console gauchement.

Il ajoute au trouble de l'enfant, car il demande, désignant un pan de mur :

— Me laisseras-tu accrocher ici ton dessin ?

Elle fait « oui » de la tête, incapable de parler, et s'enfuit vers la solitude de son pommier ; plus tard, seulement plus tard, elle reviendra, pour écrire longuement à son parrain.

Et très loin, au-delà des mers, Noël Sylvain met dans sa serviette, parmi des dossiers officiels, une enveloppe épaisse, où l'on reconnaît les timbres du Canada.

— Chanceux ! Qui t'écrit de si longues lettres ? demande un compagnon de travail.

— Ma nièce, dit-il, joyeux.

— Elle en a long à te dire ! Je ne savais pas que tu avais des parents là-bas.

— Oui, j'ai une filleule de onze ans, une petite fille étonnante.

Comme pour lui-même, il ajoute plus bas :

— « La petite fille du printemps ».

13

querelle sous les étoiles

Août se termine en beauté. Les parents ont accordé aux plus jeunes la permission de veiller aussi tard que leurs aînés.

C'est l'une des dernières soirées chaudes de la saison. Ils écoutent des disques, sur la galerie de l'Arche de Noé ; de temps en temps, un rire fuse, on échange quelques paroles joyeuses.

Lucie Fabre, que l'immobilité terrasse toujours la première, s'est endormie et ronfle un peu, au grand scandale de Simon. René, toujours serviable, indique à celui-ci les principales constellations.

— Par là, explique le scout, tu vois la Grande Ourse, et de ce côté, l'étoile polaire, qui est la queue de la Petite Ourse.

— Et par là ? interroge le gamin, désignant un autre groupe d'astres.

— Orion, risque Françoise, qui aime ce mot.

— Mais non, Cassiopée, corrige son frère, avec indulgence.

— À ta guise, dit sa sœur en riant.

— Comme c'est beau ! murmure Simon, qu'impressionnent les abîmes du ciel.

Olivier, ses jumelles sur le nez et le nez vers le ciel, arpente la pelouse, mais il doit avouer que ses lunettes lui sont plus utiles pour observer les oiseaux.

Mireille bâille sans contrainte.

— C'est tellement plus joli quand on ne sait pas les noms.

Tous récriminent, sauf Lucie, évidemment.

— Je me demande, remarque Hélène, si mon parrain voit les mêmes étoiles que nous.

— Non, tranche Dominique, péremptoire. Il voit la Croix du Sud et l'hémisphère austral.

Olivier, homme d'action, interroge :

— Combien ça prend de temps pour voler jusqu'aux étoiles ?

Même René l'ignore, et l'on se tourne vers Dominique.

Le garçon feint de ne pas remarquer cette confiance flatteuse.

— Il faudrait quarante ans pour se rendre à la plus proche d'entre les étoiles.

— J'irai peut-être, rêve Olivier, qui grimpe les marches, enjambant Françoise, Simon et René, assis à des hauteurs différentes.

On entend les doléances des deux grands, on ne perçoit pas le silence résigné du petit.

— Il y a toujours quelqu'un dans cet escalier, bougonne Olivier, déposant ses jumelles sur la balustrade.

Mireille prend un disque que lui tend Dominique. D'un mouvement brusque, elle heurte les lunettes qui tombent et se fracassent sur une allée d'asphalte. Lucie s'éveille en sursaut, croyant à un tremblement de terre.

Olivier a bondi :

— Mes lunettes sont en mille morceaux ! C'est ta faute, *Mi.*

— Ce n'est pas moi, c'est Hélène, clame sa sœur.

— Non, murmure d'une voix tremblante la petite fille.

Il fait noir, Simon et les Fabre n'ont rien vu et se gardent d'intervenir. Mais Dominique se dresse, terrible.

— C'est toi, *Mi,* j'en suis sûr.

— Je t'affirme que non !

— Menteuse !

En cet instant, le garçon ressemble à son père ; mais Mireille le défie.

— *Mi* ne ment pas d'habitude, proteste René.

— Mais cette fois, riposte Dominique, elle ment.

Hélène pleure, regrettant presque le temps où les Notes de la Gamme se liguaient contre elle. Maintenant, ils prennent parti, elle devient un pion entre leurs mains ; des scènes pareilles la brisent, et Mireille, la voix haute de colère, renchérit :

— Vous voyez bien que c'est Hélène.

Une gifle de l'aîné, qui ne mesure pas sa force, la fait taire.

Françoise voit sa théorie confirmée par les faits : deux Monnier, quels qu'ils soient, demeurent des forces hostiles qui s'affrontent. Gare à ceux qu'ils blessent sur leur passage.

Mireille, la lèvre tuméfiée, ne se rend pas. Depuis quelque temps, on ne s'occupe que d'Hélène, on la porte aux nues, on surveille pour elle le facteur et les lettres de l'Inde. Mais Mireille se vengera. Dominique pourra dire ce qu'il voudra, leur père la croira, elle, sa propre fille.

— Venez, dit Dominique, sèchement, il est temps de rentrer.

Cette querelle en présence des Fabre lui est odieuse.

— À demain, murmure René, comme si rien d'anormal n'avait eu lieu.

Des disputes éclatent, de plus en plus fréquentes et cruelles entre les voisins. Mieux vaut ne jamais s'en mêler, René le sait par expérience.

Ce soir-là, Hélène étouffe ses sanglots sous la couverture et fait semblant de dormir. Tante Claude soupire et se dirige vers le lit où gît Mireille, les yeux secs. Réprimandée par son père, qui ne l'a jamais traitée avec une telle froideur, elle a avoué ses torts, a demandé pardon à Hélène devant ses frères, parce qu'on l'y obligeait ; mais elle n'a pas désarmé. La mère, inquiète, demeure longtemps auprès de sa fille, priant Dieu de toucher ce cœur trop dur. Elle s'éloigne enfin, et quand la porte se referme, Hélène murmure : « Parrain, parrain, comme je suis malheureuse ! »

Le lendemain, dans le petit bois qu'on a surnommé la salle de musique, René, à la demande de Dominique, exécute l'air de « Perrine était servante », nouvelle pièce de son répertoire. Il a maîtrisé la gamme et peut, comme le remarque son camarade, « varier le menu ».

Le jeune Monnier est soucieux de la conduite de sa sœur qui l'a révolté.

— Tu penses à *Mi* ? interroge René.

— Oui, j'admets qu'Hélène est une vraie pelote à épingles, parfois, mais tu aurais dû voir l'air maussade de la princesse Mireille. Elle n'a pas la conscience tranquille. Papa est furieux et très déçu d'elle, je pense.

— Et ta cousine ?

— Le genre martyr.

— Elle ne jouit pas de la victoire, en tout cas.

— La voici justement.

Les garçons l'interpellent. Craintive, elle vient les rejoindre. Dominique, sans le vouloir, affecte le même ton que l'architecte.

— Si je n'avais pas vu, hier, que *Mi* avait brisé les jumelles, l'aurais-tu dénoncée ?

Elle fait « non » de la tête, et les nattes brunes s'agitent un instant.

— Pourquoi ?

Un silence ; un sourire prend naissance dans les yeux noisette, puis, lentement, éclaire tout le visage, qui devient presque beau :

— Moi, explique l'enfant, je suis plus heureuse que *Mi*, j'ai mon parrain.

Noël Sylvain est l'instrument grâce auquel sa filleule, d'une semaine à l'autre se transforme. Plus douce, plus sereine, elle change sous les yeux des sept, qui n'avaient rien compris.

René n'a pas renoncé à éclaircir une question :

— Quand *Sol* a eu sa bicyclette neuve, que s'est-il passé entre toi et *Mi* ?

— Elle m'a dit des choses méchantes.

— Quoi encore ?

Hélène hésite. Elle s'était promis de n'en jamais parler. Mais au souvenir de cette journée, ses yeux se voilent de larmes et, défiant son cousin, elle lui crie :

— Elle dit que ton père me garde par charité.

Elle se sauve en courant. Les deux garçons, plus émus qu'on ne veut l'admettre à quatorze ans, ne soufflent mot.

Dominique, le premier, réagit :

— Drôle de fille, murmure-t-il.

— Pas étonnant que *Mi* soit maussade, conclut René, qui n'a plus le goût de prendre sa flûte.

14

marie-noël

Déjà le vent siffle et parle d'automne. Hélène écrit à son parrain, lui raconte ses jeux, ses promenades. Elle accompagne souvent sa grande amie Paule. Un jour, toutes deux visitent l'aquarium, près du pont de Québec, et boivent une orangeade, sur la terrasse qui domine le fleuve.

Une autre fois, elles prennent le traversier qui les mène à Lévis, pour le plaisir de voir, pendant le voyage de retour, la ville de Québec et sa falaise au soleil du matin.

Au zoo, les deux amies dessinent à cœur joie et rapportent un cartable plein d'esquisses ; phoques et oursons, hiboux et flamants, et le grand lion qui bâille avec majesté ; il fait bâiller les deux artistes, et même plus tard, Noël Sylvain, car les meilleurs croquis prennent le chemin de l'Inde.

Sans cesse, Hélène parle de Paule à son parrain et trace de la jeune fille un portrait à la fois enthousiaste et fidèle.

Les lettres se croisent entre Sainte-Foy et la Nouvelle-Delhi. Celles du jeune homme, toujours brèves, font preuve d'humour et d'affection. Il s'adresse à sa filleule comme à une grande personne. Il l'interroge sur ses cousins, ses amis, les us et coutumes des Notes de la Gamme. Il connaît le dévouement de Lucie pour ses protégés, les étourderies d'Olivier, les progrès de René en musique. Il pense à envoyer, pour Simon, des timbres venus de partout et recueillis à son bureau.

À d'autres moments, il évoque son travail ardu, parfois décourageant, mais toujours utile. Il décrit la pauvreté des régions qu'il visite et la sécheresse de la saison froide, car, là-bas, au sud de l'équateur, c'est l'hiver en août.

L'Unesco aide à créer, dans les villages, des industries qui relèveront le niveau de vie, des écoles où se forment techniciens et ouvriers spécialisés. Des cliniques mobiles vont d'un endroit à l'autre, pour soigner les maladies tropicales, béribéri, paludisme ou pian. Noël compte parmi les missionnaires, religieux ou laïcs, de nombreux amis.

Hélène, que passionnent ces récits, fouille les encyclopédies, les atlas, et interroge Dominique, le plus instruit de la Gamme, sur la vie en Inde.

Le garçon, qui, parfois, honneur suprême, lit les lettres du parrain, se pique au jeu. Il emprunte, à la bibliothèque du collège, des cartes, des volumes ; il se renseigne pour pouvoir répondre aux questions de sa cousine. Il découvre qu'il peut, sans déchoir, discuter avec ce petit bout de femme, qui n'a plus peur de le contredire.

— Hélène est très bien, tu sais, avoue-t-il à René, qui le taquine.

— Je me tue à vous le dire depuis des mois, triomphe l'autre.

Les deux amis établissent un plan d'études sur l'Orient et se taillent, parmi leurs condisciples, une réputation enviable.

Olivier, conquis depuis l'affaire du cahier, comme il aime à le rappeler fréquemment, reste pour Hélène l'allié de la première heure. Seule Mireille, ombrageuse et distante, ne désarme pas. Mais elle n'ose plus s'en prendre directement à sa cousine, et le caractère de la jeune Monnier s'assombrit.

Le premier septembre, Hélène reçoit un court message :

Chère petite fille du printemps,

Voici, comme tu me l'avais demandé, une photo de moi. Cela te servira peut-être un jour, si je frappe à ta porte.

Un bonjour à ton amie Paule.

Noël Sylvain

P.-S. Sais-tu que tu t'appelles, à cause de moi, Marie-Noël ?

La fillette, selon son habitude, lit dans son pommier. Les fruits déjà gros rougissent au soleil, et sentent bon, même s'ils sont encore un peu trop durs. Sensible à la beauté de « son » arbre, elle en connaît les saisons ; bien assise sur une branche solide, elle regarde longuement le portrait du parrain dont, jusqu'ici, elle n'a pu qu'imaginer les traits. De taille moyenne, il a des yeux et un sourire pleins de joie. « Non, il n'est pas très beau », songe Hélène, mais elle n'est pas déçue ; c'est un peu ainsi qu'elle se représentait le parrain si bon pour elle. « Vite, il faut montrer cela à Paule », dit-elle à mi-voix.

Chose étonnante, la jeune fille a l'air tout drôle. Elle parcourt la lettre rapidement et peut-être lit-elle entre les lignes, car elle embrasse sur les deux joues sa petite amie.

— Merci de ta confiance !

Et, rieuse, elle ajoute :

Il est joli, ton nom, Marie-Noël !

Elle se sauve en courant. La petite fille, interloquée, n'y comprend rien. Pourquoi Paule semble-t-elle si émue ?

« Marie-Noël » !

Les syllabes flottent encore dans l'air, semble-t-il, et dans la mémoire d'Hélène, qui prononce à haute voix : « Mon nom est Marie-Noël Sylvain. »

Le lendemain matin, Hélène annonce aux Monnier ahuris :

— J'aimerais qu'on m'appelle maintenant Marie-Noël.

Un tollé général accueille cette déclaration.

— Tu es folle ?

— À quoi penses-tu ?

— Mais pourquoi ?

À la dernière question, posée par Simon, la petite fille, qui a réfléchi à ses arguments, répond :

— À cause de mon parrain, et parce que je trouve cela plus beau. Il y a trois Hélène dans ma classe. Le professeur s'embrouille toujours.

— Mademoiselle veut se distinguer, raille Mireille.

L'aîné, logique, objecte :

— Tu n'as pas le droit de changer de nom.

L'oncle Antoine délaisse son journal.

— Hélène s'appelle aussi Marie-Noël. Ce nom figure à son baptistaire. Elle a parfaitement le droit d'utiliser celui qu'elle préfère.

— Son nom caché, constate Simon.

— Chic, moi, je serai Philidor !

Affublé de ce prénom par une grand-tante romanesque, Olivier ne s'en vante pas d'ordinaire.

— Mais quand même, ça ne tient pas debout, s'obstine Dominique.

Le dévouement de la fillette pour Simon, malade, a touché le cœur de Tante Claude. Alliée inattendue, elle prend la part de sa nièce.

— Moi, je t'appellerai volontiers Marie-Noël.

Les exclamations se croisent.

— Pourquoi pas, finit-on par admettre.

— Demain, il faudra prévenir la directrice de l'école, remarque l'architecte, avant de se replonger dans son cher journal.

Les enfants s'éparpillent ; Hélène, pardon, Marie-Noël, va conter sa victoire à Paule Dupuis.

Dominique et René font route ensemble vers le local scout ; une excursion de patrouille marquera le dernier jour avant la rentrée.

— Tu ne devineras jamais, dit le jeune Monnier, la décision de ma cousine.

Il n'ose déjà plus dire : Hélène.

— Quoi donc ?

En peu de mots, il explique la situation. Son camarade accueille la nouvelle d'un sifflement admiratif et remarque :

— Elle a du cran, cette fille !

— Tu ne la trouves pas ridicule ?

— Pour une fois, déclare le jeune Fabre, quelqu'un, chez vous, a une idée originale. Et moi aussi, j'ai une idée. Je fabriquerai une tirelire avec une boîte de conserve. Chaque fois que nous nous tromperons, nous y déposerons un sou.

— Nous paierons l'amende ?

— C'est ça.

Conquis, Dominique éclate de rire :

— Quelle bonne farce !

Les Notes de la Gamme, sauf Mireille, bien entendu, s'enthousiasment pour ce que Françoise nomme « le projet Marie-Noël ». Petits et grands, car même les adultes s'en mêlent, s'efforcent d'employer le nouveau prénom. Mais c'est difficile de rompre avec une habitude qui date de onze ans.

Les cents alourdissent la tirelire. Les erreurs, parce qu'elles coûtent cher, s'espacent. Un seul ne se trompe jamais : Simon, pourtant distrait d'ordinaire.

— Comment fais-tu ? s'étonne Lucie.

Le gamin a résolu le problème sans effort et livre son secret.

— Il faut appeler par leur nom les gens et les choses, explique ce futur homme de science.

Mireille a refusé tout net de se joindre à ses frères et amis. Moqueuse, elle se sert du prénom « Hélène » le plus souvent possible.

— Elle le fait exprès, s'indigne Olivier.

On renonce à exiger d'elle le cent de pénitence et l'on poursuit sans elle la campagne.

L'attention reportée sur Marie-Noël pendant plusieurs semaines aide l'enfant à s'épanouir. Elle s'amuse avec les autres de leurs bévues, elle se sent plus importante, mieux appréciée. Sa bonne humeur contagieuse égaie l'austère maison des Monnier.

Quand, au bout d'un mois, le nouveau nom a réussi à s'implanter, on ouvre la tirelire. Moment solennel : les pièces de monnaie, usées ou brillantes selon leur âge, forment une pile imposante. Simon, fort en chiffres, les compte rapidement et s'écrie:

— Trois dollars et cinquante-sept cents !

— Que feras-tu de tout cet argent ? interroge Françoise.

— J'en donnerai une partie à Tante Claude pour ses familles pauvres. Quant au reste, j'ai mon idée.

— Elle se choisira un cadeau, bien sûr, dit Dominique.

Le soir, à la surprise générale, Marie-Noël offre à la ronde d'excellents chocolats, achetés, explique-t-elle gentiment, « pour dire merci ».

15

le voyageur

Sur la terrasse des Monnier, Françoise et Dominique disputent une partie de hockey sur table. Ambitieux, ardent au combat, le garçon va sûrement gagner. La fillette, vive et enjouée, n'est pas de taille contre un tel adversaire. D'ailleurs le fou rire lui enlève tous ses moyens.

Simon, pendu par les pieds à une branche d'érable, juste au-dessus d'eux, décrit les coups, imitant la voix et les expressions d'un commentateur bien connu.

René lit la partition d'un duo de flûte, qu'il prépare pour sa leçon du lendemain, et fredonne quelques mesures.

Mireille poursuit une rêverie de jeune fille. Lucie et Olivier, unis par leur amour des bêtes, font la toilette de Cartouche, qui mordille la brosse.

Un taxi stoppe dans la rue. Le passager, après une seconde d'hésitation, se dirige vers le groupe d'enfants.

À peine plus grand que Dominique, il a la démarche énergique et souple d'un sportif. Ses cheveux blonds poussent drus, mêlés de quelques fils gris. Ses yeux bleus paraissent très clairs dans le visage basané.

— Bonjour, dit-il, d'une voix calme et sonore.

— Vous désirez voir notre père ? demande Dominique, se levant.

— Je ne suis pas pressé. Faisons d'abord connaissance.

L'aîné a le sens de la dignité familiale et apostrophe Simon :

— Descends de là, tu as l'air idiot.

— Au contraire, proteste l'inconnu, on dirait une chauve-souris.

Olivier, naturaliste, approuve la comparaison, et Simon adresse à son défenseur un sourire qui, même vu sens dessus dessous, ne manque pas de charme.

Mireille pose un peu, contente d'être chic avec son beau chandail blanc.

— Les Notes de la Gamme, au grand complet, déclare soudain le mystérieux voyageur. Laissez-moi deviner. Toi, tu es *Do,* le chef de la bande, et toi, *Ré*, le taquin, *Mi,* cette jolie sirène, et *Fa*, la joyeuse, *Sol*, ce gamin tout épanoui, *La,* directrice de l'Arche de Noé, puis enfin, *Si*, ce petit bout d'homme sérieux et savant.

— Vous nous connaissez donc, s'étonne René, psychologue amateur.

— Oui, à ma façon. Je suis Noël Sylvain.

Une bombe éclatant au milieu de la terrasse ne produirait pas plus d'effet.

— Le parrain de l'Inde !

Olivier, déjà, bondit vers la cour, appelant sa cousine :

— Marie-Noël, Marie-Noël !

Sylvain lui emboîte le pas et s'informe :

— Elle a changé de nom ?

— Oui, le mois dernier.

Le petit garçon, avant de s'éloigner discrètement, indique le pommier.

— C'est là.

— Merci, *Sol.*

L'homme, à son tour, dit d'un ton joyeux :

— Marie-Noël ! Où es-tu, ma petite fille du printemps ?

Un visage ardent, où s'ouvrent des yeux rêveurs, d'un brun très doux : voilà ce qu'on voit d'abord d'Hélène quand elle écarte les branches chargées de pommes.

Qui est cet inconnu ? Il ressemble... Oui, c'est cela. Il ressemble à la photo de Noël Sylvain. Mais s'il allait ne pas aimer sa filleule, ne pas la trouver à son goût ?

L'enfant n'ose sourire et se laisser glisser par terre.

S'approchant de la fillette, il l'embrasse sur les deux joues. Pour lui donner le temps de se ressaisir, il raconte son voyage, et des gestes expressifs accompagnent ses paroles.

« Il parle avec ses mains », songe la fillette, qui reprend confiance et ne se lasse pas de regarder ce parrain tombé du ciel.

Sylvain entraîne sa filleule vers la maison :

— Allons voir monsieur et madame Monnier.

Tante Claude accueille chaleureusement le visiteur.

Marie-Noël ne le laisse pas s'attarder.

— Viens, dit-elle, je te présenterai Paule.

Il se débat un peu, car on n'arrive pas ainsi chez des inconnus, mais elle fait fi de l'objection :

— Paule sera aussi heureuse que moi. Elle a lu toutes tes lettres.

Il cède volontiers, car il a hâte de rencontrer la jeune fille-merveille.

L'épagneul, accouru au-devant d'eux, fait fête au parrain.

— Il t'aime déjà, remarque l'enfant.

Noël Sylvain caresse le petit animal éperdu de joie, puis, à l'improviste, se trouve face à face avec Paule Dupuis. Ils ont l'impression de vieux amis qui se retrouvent après une longue absence. Leur affection pour Hélène les rapproche.

Ce soir-là, un goûter rassemble dans le salon les Monnier au complet, les trois Fabre et même Paule, que Tante Claude a eu la délicatesse d'inviter.

L'architecte a sommé son beau-frère d'expliquer son retour subit :

— Tu aurais pu nous annoncer cette bonne surprise.

— C'est bien simple, déclare Noël Sylvain. L'un des Canadiens de notre équipe, là-bas, devait travailler à Ottawa pendant tout le printemps.

— Mais c'est l'automne, proteste Simon, l'esprit scientifique de la famille.

— En Inde, le printemps commence, corrige le voyageur. Le jour fixé pour son départ, mon ami est tombé malade. J'ai demandé à le remplacer. Me voici.

— Après tant d'années, ce n'est pas trop tôt, souligne Antoine Monnier.

— Les autres fois, je cédais mon tour aux autres. Mais maintenant, j'ai découvert ma filleule.

— Ou plutôt, votre filleule vous a découvert, riposte René.

— Grâce à ce garçon, ajoute l'économiste, désignant *Sol*, qui voudrait disparaître dans le mur.

— Vous pouvez demeurer ici, offre Tante Claude.

— Je travaillerai à Ottawa, mais, à chaque fin de semaine, je viendrai voir ma petite fille du printemps.

Fidèle à sa promesse, l'oncle Noël passe avec sa nièce tous ses jours de congé. Habitué aux longues distances, grâce à sa carrière aventureuse, il trouve naturel de voyager entre Ottawa et Québec, et ses récits enchantent les Notes de la Gamme.

Olivier veut tout savoir des serpents, des mangoustes, des éléphants et des scarabées.

Dominique et René, surtout, ne tarissent pas de questions sur l'Unesco, sur le métier de Sylvain, sur les conditions de vie en Orient. Prenant à part les deux grands, il leur réserve les récits qui impressionneraient trop fortement leurs cadets.

Il leur parle d'homme à homme. Il évoque la misère chronique qui règne en Inde. Les enfants y meurent par milliers. Les épidémies, la famine dévastent des régions entières ; des techniciens se dévouent sans compter, de même que les missionnaires religieux ou laïques.

— Il y a tant à faire, conclut-il.

Électrisés par ces récits, les adolescents se sentent responsables de leurs frères lointains. Plus tard, à leur tour, ils iront peut-être travailler à cette tâche.

Seule, Mireille, obstinée, se tient à l'écart. Conscient de cette animosité, Sylvain regrette de ne savoir atteindre l'enfant dont le cœur se ferme.

Un samedi, filleule et parrain, avec leur grande amie, se promènent dans le vieux Québec ; tandis que la fillette gambade en avant avec le chien, Paule suggère à son compagnon :

— Il me semble que des cheveux courts iraient beaucoup mieux à Marie-Noël.

— Vous croyez ?

— J'en suis sûre.

— En ce cas, faisons-lui couper dès ce matin ces affreuses nattes.

— Et que dira sa tante ?

— Ne suis-je pas son oncle, et son parrain par-dessus le marché ?

Pendant que Noël Sylvain lit un journal au restaurant voisin, et regarde cent fois la pendule, Paule, chez le coiffeur, surveille la transformation de Marie-Noël.

L'employée défait les tresses trop serrées, ébouriffe les mèches soyeuses. Le rasoir tire les cheveux, mais la coquette ne se plaint pas. Elle est récompensée par les regards admiratifs qui saluent la métamorphose.

— Que penserais-tu d'une robe neuve ? propose Noël à la petite fille qui n'en croit pas ses oreilles. Une robe que Paule choisirait pour nous, ajoute-t-il à la hâte.

Cette dernière consent volontiers à prêter son concours. Au restaurant où le parrain très fier a conduit « ses deux beautés », comme il dit, Marie-Noël ne reconnaît pas du tout l'enfant vêtue d'une toilette rose, simple et charmante, qui, de la glace, lui fait signe.

Le décor, le menu charment la petite fille. Les nombreuses cuillers, la grande serviette raide, le verre dans lequel on a versé beaucoup d'eau et une goutte de vin, tout l'émerveille. Jamais elle n'a été à une pareille fête.

Au retour, fatiguée mais heureuse, elle s'amuse des commentaires que ne lui ménagent pas les Notes de la Gamme.

Un sifflement, impoli, mais élogieux, dit la surprise de René. Dominique n'est pas loin d'imiter son ami. Quant aux deux petits cousins, ils ne sont pas sûrs que voilà bien la Fausse Note. L'a-t-on changée comme Cendrillon ? Françoise et Lucie Fabre, sans arrière-pensée, félicitent leur amie de sa coiffure et de sa robe. Mireille discerne le goût sûr de Paule Dupuis dont elle admire depuis longtemps l'élégance et le chic.

Même l'oncle Antoine délaisse son journal pour s'écrier :

— Comme tu ressembles à ta mère !

Et Tante Claude se morigène : pourquoi n'a-t-elle pas pensé depuis longtemps à conduire l'enfant chez le coiffeur ?

Ce soir-là, Noël Sylvain, à qui rien n'échappe, raconte à Paule l'arrivée triomphale de Marie-Noël chez ses cousins.

L'oncle et la grande amie s'entendent à merveille. De plus en plus souvent, lorsque la fillette dort, ils se revoient, visitent des amies de la jeune fille ou vont au cinéma.

Pour eux, comme pour la petite fille, les semaines passent trop rapidement. Cinq jours de séparation qui n'en finissent plus, puis le samedi et le dimanche, envolés comme des secondes. Parfois, Marie-Noël compte les jours qui la séparent du moment où son oncle devra la quitter. La plupart du temps, elle s'efforce de n'y pas penser.

Mireille, dès qu'elle a su l'identité du voyageur, a déclaré qu'elle le jugeait laid, ennuyeux et poseur ; elle l'évite, malgré son envie d'en apprendre davantage sur l'Orient des *Mille et une Nuits*.

Mais le parrain prend surtout plaisir à ses promenades hebdomadaires. Il conduit sa filleule, dont il est fier, chez ses amis, spécialistes des langues étrangères, professeurs, journalistes ou missionnaires. De plus en plus souvent, Paule Dupuis les accompagne.

Le beau rêve va finir. Noël Sylvain retournera où l'appelle sa tâche. Il faudra, de nouveau, s'écrire.

16
projets

Un samedi soir, dans le salon des Monnier, s'engage, entre Noël Sylvain et ses hôtes, une conversation qui se prolonge fort avant dans la nuit.

Marie-Noël, dans sa chambre, juste au-dessus, ne peut dormir, car elle devine qu'il est question d'elle.

Sans saisir les paroles, elle perçoit le ton autoritaire de l'oncle Antoine, qui semble très fâché, les accents plus brefs de Tante Claude, et la voix calme et persuasive du parrain. Elle finit par s'endormir, malgré son inquiétude.

Le lendemain, l'oncle Noël lui propose une promenade à pied. Il n'a pas invité Paule.

Le jeune homme, étrangement silencieux, semble perdu dans ses réflexions. Marie-Noël n'ose ouvrir la bouche.

Ne devrait-elle pas être satisfaite ? N'est-ce pas assez, pour la petite fille de trop, que d'avoir un vrai parrain, et non plus celui du cahier vert ?

Elle s'imaginait qu'elle pouvait inventer un parrain. Le vrai est tellement mieux. Il est si bon et différent de toutes les autres personnes. « Sauf peut-être de Paule », réfléchit-elle.

Comme un écho à ses pensées, Noël Sylvain mentionne la grande amie :

— Grâce à toi, dit-il, nous avons l'impression, Paule et moi, de nous connaître depuis toujours.

Marie-Noël lève vers son parrain ses yeux où il peut lire une grande affection pour les deux êtres qui ont su la comprendre.

L'oncle Noël, lui, a l'air tout drôle, ému, nerveux. Il s'éclaircit la voix et, brusquement, annonce :

— J'ai demandé à Paule d'être ma femme.

Marie-Noël sourit, mais, presque tout de suite, baisse la tête.

— Je croyais te faire plaisir, dit le jeune homme, consterné.

Il prend dans sa main le petit menton qui tremble.

— Je vois, petite fille. Tu crois que ton vieux parrain va t'abandonner, et t'enlever en même temps ta bonne fée.

L'enfant cherche à se dégager. Va-t-elle, égoïste et méchante, s'attrister du bonheur de son parrain ?

— Petite fille, nous t'emmènerons avec nous. Paule est d'accord. Je ne sais même plus qui en a eu d'abord l'idée. C'était entendu d'avance.

Les larmes, enfin libérées, coulent sur les joues rosées par l'émotion ; mais ce sont des larmes de joie.

Une objection demeure :

— L'oncle Antoine ne voudra pas.

— Il consent à ton départ. Hier, ta tante m'a aidé à le convaincre.

Devant l'air incrédule de Marie-Noël, il explique :

— Claude souffre de te sentir malheureuse chez elle.

— Mais elle et l'oncle Antoine ne m'aiment pas.

— Ils t'aiment et regrettent l'incompréhension qui vous sépare ; quand tu seras grande, tu t'entendras bien avec eux.

Elle en doute, mais après tout, qu'importe ? Tant d'années s'écouleront d'ici là.

Noël ne raconte pas la discussion orageuse pendant laquelle l'architecte, gardien légal de l'enfant, refusait d'abord de consentir à ce départ. Le climat, les conditions de vie, les risques l'effrayaient pour cette enfant si jeune. Mais l'économiste a puisé, dans son affection pour la petite fille de trop, les arguments décisifs.

Une activité intense marque cet automne. Il faut préparer à la fois le mariage et la traversée. On s'occupe des passeports, des visas, on réserve des places à bord de l'avion Montréal-Paris, puis à bord de celui qui se rend à New Delhi, capitale de l'Inde, après des escales dont Simon cherche sur la carte les noms harmonieux : Le Caire, Karachi, Bombay.

Marie-Noël, stoïque, endure les piqûres et les vaccins ; elle accompagne Paule chez un médecin qui les inocule contre le choléra, le paludisme, la typhoïde. Sa tante la conduit dans un grand magasin pour compléter sa garde-robe. On n'emporte pas de vêtements d'hiver !

Les Notes de la Gamme vantent, à l'école, les mérites de leur amie. Seule, Mireille, hostile, se réjouit du départ de sa cousine.

— Nous serons bien débarrassés de toi, assure-t-elle à tout propos, quand ses parents ne peuvent l'entendre.

Le soir, on se rassemble dans le salon des Monnier, pour écouter le parrain aux mille histoires.

Mis à contribution par les curieux, il n'ignore pas que ces récits rehaussent le prestige de sa filleule, et ne se fait pas prier. Il assure à son beau-frère que les enfants ne l'ennuient jamais.

Interrogé sur le voyage prévu, il décrit les villes que connaîtra Marie-Noël : Le Caire, où l'on parle le français autant que l'anglais. Les hommes, en longues tuniques blanches, portent presque tous le fez, coiffure de laine rouge.

— Et les femmes ? demande Mireille, sortant de son mutisme.

— Les femmes, vêtues de noir, souvent voilées, car elles sont musulmanes, portent sur l'épaule leur petit bébé.

Simon, dans l'atlas, a trouvé l'Égypte, et l'on se presse autour de lui.

Sylvain explique :

— Le Nil, riche en phosphore, scintille la nuit. Pour passer sous les ponts, les barques baissent leur grande voile. C'est très joli.

— Avez-vous vu les pyramides ? demande Françoise.

— Oui et les trésors des pharaons, au musée. Nous vous enverrons une carte postale, n'est-ce pas, Marie-Noël ?

— Je garderai le timbre, jubile Simon.

— Le désert ? interroge Dominique avec nostalgie.

Il évoque le père de Foucauld, Lawrence, la magie des sables.

— Le désert attire, par son mystère, ses mirages.

— Des mirages ? répète Simon, qui n'y a jamais vraiment cru.

Patient, Noël explique :

— On croit voir de l'eau, toujours un peu plus loin. C'est un phénomène d'optique. La lumière se reflète sur les couches d'air que réchauffe le soleil.

Si l'explication venait de Dominique, le gamin n'y croirait guère. Mais comment douter de la bonne foi de Noël ?

— J'ai trouvé Karachi sur la carte, annonce René.

Karachi, la capitale du Pakistan.

— La belle ville ! commente Sylvain. Nous voici en Orient. Les femmes s'enveloppent de tissus brodés aux brillantes couleurs, par-dessus un pantalon étroit.

— Font-elles du sport ? demande la naïve Lucie.

— Elles n'en connaissent rien. Les hommes, eux, sont graves et dignes, avec des barbes, des favoris, de longs cheveux noirs. Ils ne portent pas le fez, comme dans les pays arabes, mais des turbans de couleurs vives qui indiquent leur caste, c'est-à-dire leur rôle dans la société.

— Combien ça prend de temps pour se rendre si loin en avion ? demande *Sol*, que l'aspect technique intéresse davantage.

— Environ douze heures, sans compter les arrêts, dit René, croyant éblouir le gamin.

Mais ce dernier fait la moue :

— Glenn a fait le tour du monde en moins d'une heure.

— Nous ne partons pas en fusée, proteste Marie-Noël, rieuse.

Les plus jeunes ont des fourmis dans les jambes, et Sylvain prend en pitié ses auditeurs :

— Allez dormir et rêver aux charmeurs de serpents. J'ai entendu dire que, demain, nous irions en promenade tous ensemble.

17
le coeur de mi

— Hourra ! Il fait beau, s'exclame Olivier.

— Dans les trois maisons, les préparatifs battent leur plein. On partira dans quelques minutes.

— Tu viendras, Antoine ? a demandé Noël Sylvain.

À la surprise générale, l'architecte a acquiescé. Mis en éveil par les épreuves de sa nièce, il a décidé de se montrer plus attentif aux occupations de ses enfants. Le pas dans la bonne direction ne lui vaudra que de la joie.

— Moi, je n'irai pas, bougonne, Mireille. « Ils ont Hélène, ils se passeront de moi, réfléchit-elle. Faut-il que cette pimbêche occupe toujours le centre de la scène ? »

— Viens donc, *Mi*, insistent ses frères. C'est le dernier pique-nique de la saison. Tu ne peux rester toute seule ici.

Sous le regard de monsieur Monnier, qui lit trop bien les sentiments de sa fille, Mireille se trouble :

— J'irai, puisque je n'ai pas le choix.

La caravane s'organise. La longue auto grise de l'architecte, la camionnette avec laquelle l'ingénieur forestier a roulé sur les routes les plus cahoteuses de la province se suivent de près, se dépassent tour à tour.

Monsieur Dupuis et l'oncle Noël discutent de chasse ; leur conversation passionne Dominique et René. Françoise et Lucie Fabre, prises de fou rire, fouillent parmi les provisions et les chandails. Paule, intriguée, s'informe de la raison d'une telle hilarité.

— Nous avons perdu Vite, avouent-elles.

Ami est de la partie ; il retrouve bientôt la tortue qui se régalait de laitue pommée.

Dans l'autre voiture, Olivier et Simon se disputent un peu. Marie-Noël aurait plus volontiers fait route avec son cher parrain, mais elle a expliqué gentiment à ce dernier :

— Je quitterai mon oncle et ma tante dans cinq jours. Ça leur fera peut-être plaisir que je reste avec eux aujourd'hui.

Elle regrette un peu sa décision, car l'oncle Antoine, soucieux, surveille à la dérobée le visage boudeur de Mireille, qui ne desserre pas les lèvres.

On s'est donné rendez-vous à une heure de Québec, sur un plateau qui domine toute la région.

Paule et sa protégée admirent le paysage magnifique.

— Je voulais, explique Noël Sylvain, que mes deux artistes revoient, avant le départ, notre belle forêt canadienne.

Elles emporteront dans leur mémoire les couleurs de pourpre et d'orange des érables, le jaune très doux des bouleaux, le vert nuit des sapins.

On court pour se délasser après la randonnée en voiture.

— Ramassons du bois pour le feu, ordonne Dominique.

Au bord du ravin, plusieurs arbres morts fournissent une bonne provision de branches sèches.

— Attention ! dit René à sa sœur qui a failli glisser sur la pente presque verticale.

— Ouf ! Si tu tombes dans ce trou, tu déchireras ton chandail, déclare Mireille.

De savoureuses fèves au lard mijotent bientôt sur un beau feu clair.

Quand le soir tombe, on s'assemble pour le retour, on compte les têtes.

— Où est Ami ?

Guidé par l'instinct du chasseur, l'épagneul a dû flairer quelque piste d'animal, et demeure introuvable.

On organise une battue aux alentours ; tous reviennent bredouilles une demi-heure plus tard.

— Mireille est avec vous, n'est-ce pas ? demande soudain Tante Claude aux occupants de la camionnette.

— Mais non, rétorque Paule.

Personne n'a vu la fillette.

Les trois hommes repartent, et l'écho répète leurs appels :

— Mireille ! Mireille !

Le premier, Noël Sylvain perçoit un léger bruit. Très loin, à droite, on a crié. Il s'approche avec précaution. La lueur de sa lampe de poche permet de voir, par-delà des arbres morts, une falaise abrupte.

— Mireille !

— Au secours ! je suis tombée dans le ravin.

— Es-tu blessée ?

— Non, mais je ne peux pas remonter.

« Dieu soit loué ! songe le jeune homme, elle n'a pas de mal. »

Il lance en direction des autres un appel strident, et, avec une agilité étonnante, il rejoint la fillette qui avoue :

— Je commençais à avoir vraiment peur.

Monsieur Monnier surgit sur le plateau, scrute l'obscurité que troue la lueur des lampes de poche.

— Mireille est ici, annonce Noël, paisiblement ; habitué à une vie mouvementée, il a repris sa bonne humeur.

La fillette, rassérénée, annonce avec un accent de triomphe :

— J'ai trouvé Ami.

On se passe de main à main la petite bête qui aboie et s'excite. À son tour, Mireille, tirée et poussée, parvient en un clin d'œil aux côtés de son père.

Ce dernier, si froid d'ordinaire, souffle à l'oreille de sa grande fille :

— Je suis content de toi.

Car il mesure la victoire qu'a remportée l'enfant sur la rancune et la jalousie.

La reconnaissance de Marie-Noël va droit au cœur de Mireille, qui raconte :

— Hélène avait tant de chagrin. J'ai pensé au ravin et j'ai décidé d'aller voir.

— Toute seule ? s'étonne la prudente Françoise.

— Oui, toute seule.

— Tu as fait cela pour moi, dit sa cousine d'une voix toute drôle.

On croirait qu'elle va pleurer, mais, spontanément, elle embrasse Mireille ; celle-ci, très bas, murmure, utilisant à dessein le prénom nouveau :

— Je te demande pardon, Marie-Noël.

— Chut ! n'en parlons plus, dit l'autre, sur le même ton.

Ce soir-là, les deux fillettes font ensemble une prière plus fervente que d'habitude. N'ont-elles pas à remercier Dieu pour la paix retrouvée ?

Le matin du grand jour se lève radieux. En présence de quelques invités, un vieux missionnaire bénit le mariage de Noël et Paule Sylvain.

À l'aéroport, quelques heures plus tard, les trois voyageurs montent à bord de l'avion qui, tantôt les emportera vers une vie nouvelle.

Marie-Noël, debout entre son parrain et sa grande amie, regarde avec un peu de tristesse ceux qui resteront en arrière.

On ne quitte pas sans regret le pays de son enfance.

L'oncle Antoine adresse à sa nièce un bref sourire. Tante Claude s'essuie les yeux. Les Dupuis et même le docteur Fabre et sa femme semblent émus.

Les Notes de la Gamme agitent la main pour saluer leur chère Fausse Note. Mireille, plus jolie que jamais depuis que son visage reflète la sérénité du cœur, n'a pas honte de ses larmes.

Comme ils ont appris à l'aimer, la petite fille du printemps !

lexique

Abrupte : pente quasi verticale ; escarpé, à pic.
Acerbe : qui cherche à blesser ; acrimonieux, agressif.
Acquiesce : du verbe acquiescer : donner son entier consentement ; accepter, consentir.
Affronter : aller hardiment au-devant de... ; crâner, braver.
Affublé : habillé bizarrement, ridiculement comme si on se déguisait ; accoutré.
Agresseur : celui qui attaque le premier ; assaillant.
Ahuri(e) : surpris et déconcerté au point de paraître stupide ; étonné(e), ébahi(e).
Allusion : manière d'éveiller l'idée d'une personne ou d'une chose sans en faire expressément mention ; sous-entendu, rappel.
Aménagé : disposé et préparé méthodiquement en vue d'un usage déterminé ; agencé, arrangé.
Amorce : du verbe amorcer : ouvrir la voie à..., mettre en train... ; commencer, lancer.
Angoisse : malaise psychique et physique né du sentiment de l'imminence d'un danger ; anxiété, inquiétude.
Animosité : sentiment persistant de malveillance qui porte à nuire à quelqu'un ; antipathie, haine.
Antre : lieu inquiétant et mystérieux ; caverne, grotte.
Apitoie, s' : du verbe s'apitoyer : est touché de pitié ; compatir, sympathiser.

Aptitude : disposition naturelle ; adresse, capacité.

Arche de Noé : Dans la Bible, vaisseau fermé qui permit à Noé d'échapper aux eaux du déluge. Noé prit avec toute sa famille un couple de tous les animaux qui vivaient sur la terre et dans l'air. Ici, rapprochement avec le texte de la Genèse.

Ardu : qui présente de grandes difficultés ; difficile, malaisé.

Assaille : du verbe assaillir : se jeter sur quelqu'un pour l'attaquer ; harceler, accabler de questions.

Assurance : confiance en soi-même ; aplomb, aisance.

Aubaine : avantage, profit inattendu ; chance, occasion.

Austère : qui se montre sévère pour soi ; exigeant, sévère.

Bahut : buffet rustique, large et bas ; armoire, buffet.

Banquette : banc rembourré ou canné, avec ou sans dossier ; fauteuil.

Basané : peau brunie ; bistré, bronzé.

Benjamin : le plus jeune d'une famille, d'un groupe.

Béribéri : maladie due à la carence (manque) de vitamine B causée par la consommation exclusive de riz décortiqué.

Bestiole : petite bête, spécialement insecte.

Blottissent, se : du verbe blottir : se ramasser sur soi-même de manière à occuper le moins de place possible ; se pelotonner, se recroqueviller.

Boussole : appareil composé d'un cadran au centre duquel est fixée une aiguille aimantée mobile, dont la pointe marque la direction du nord.

Bute : du verbe buter : heurter le pied ; accrocher, achopper.

Cadet : personne qui par ordre de naissance vient après l'aîné.

Cahoteuse : au masculin cahoteux : qui fait éprouver des cahots, des chocs.

Câlin : caressant, cajoleur.

Carapace : organe dur qui protège le corps de certains animaux ; enveloppe.

Cartable : sac d'écolier ; carton, serviette.

Cassiopée : constellation de l'hémisphère boréal, elle adopte la forme d'une casserole.

Chevalet : support qui sert à tenir à la hauteur voulue l'objet sur lequel on travaille.

Choléra : très grave maladie épidémique caractérisée par des selles fréquentes, des vomissements, des crampes, un grand abattement.

Clément : qui manifeste une disposition à pardonner les offenses et une disposition à adoucir les châtiments ; indulgence, miséricorde.

Cocker : petit chien de chasse à longues oreilles tombantes.

Colin-maillard : jeu où l'un des joueurs, les yeux bandés, doit chercher les autres à tâtons, en saisir un et le reconnaître.

Colley : chien de berger écossais.

Combles : partie d'un bâtiment située sous les toits ; galetas, grenier.

Commentaires : ensemble des explications, des remarques que l'on fait à propos d'un texte ; explication, glose.

Concertent, se : du verbe se concerter : projeter de concert avec une ou plusieurs personnes ; s'entendre pour agir de concert ; s'arranger, s'organiser.

Conciliant : porté à maintenir la bonne entente par des concessions ; accommodant, conciliateur.

Condisciple : compagnon d'études.

Conifère : arbre résineux à feuilles, appelées aiguilles, persistantes dont les organes reproducteurs sont en forme de cônes ; pin, sapin, cèdre, épicéa, cyprès, genévrier, etc.

Constellation : groupe apparent d'étoiles qui présente un aspect reconnaissable ; Cassiopée, Croix du Sud, Orion, Grande Ourse, etc.

Conventionnel : conforme aux habitudes sociales ; peu naturel, affecté.

Convive : personne invitée à un repas en même temps que d'autres ; commensal, hôte.

Couac : son faux et discordant.

Cramoisi : couleur rouge foncé tirant sur le violet.

Crépite : du verbe crépiter : faire entendre une succession de bruits secs ; grésiller, pétiller.

Crispé : contracté à cause d'une vive impatience ; tendu, irrité.

Croix du Sud : constellation de l'hémisphère austral en forme de croix.

Croquis : esquisse rapide ; crayon, ébauche.

Déchiffre : du verbe déchiffrer : parvenir à lire une écriture difficile à comprendre ; découvrir, démêler, deviner.

Défection : abandon d'une cause, d'un parti auquel on appartient ; désertion, abandon.

Défie : du verbe défier : refuser de se soumettre ; affronter, braver.

Dépit : chagrin dû à une déception, à un froissement d'amour-propre ; jalousie, rancœur.

Dévale : du verbe dévaler : aller vers le bas rapidement et brutalement ; descendre, rouler.

Devis : état détaillé des travaux à exécuter avec l'estimation des prix.

Discerne : du verbe discerner : se rendre compte d'une aptitude, d'un talent ; percevoir, reconnaître.

Discorde : dissentiment violent et durable qui oppose des personnes ; désaccord, dissension.

Doléances : plaintes pour réclamer au sujet d'un grief ou pour déplorer des malheurs personnels ; récriminations.

Dolent : affecté par un mauvais état de santé, une souffrance physique ; plaintif, dépressif.

Dynamo : abréviation courante pour machine dynamo-électrique, transformant l'énergie mécanique en énergie électrique ; alternateur.

Ébauchait, s' : du verbe s'ébaucher : commencer à se développer ; se dessiner, s'esquisser.

Effarant : qui plonge dans la stupeur, l'indignation ; stupéfiant, effrayant.

Éloquence : don de la parole ; facilité pour bien s'exprimer ; verve, rhétorique.

Émaille : du verbe émailler : semer d'ornements divers ; diaprer, parer.

Enduit : préparation molle que l'on applique à la surface de certains objets pour les protéger, les garnir ; revêtement, glaçure, vernis.

Énigme : toute chose difficile à connaître ; mystère, secret.

Envenime : du verbe envenimer : rendre plus virulent, plus pénible ; attiser, aviver.

Épagneul : chien de chasse à longs poils soyeux et à oreilles pendantes.

Épars : répandu ici et là ; dispersé, éparpillé.

Éperdu : profondément troublé(e) par une émotion ; affolé(e), ému(e).

Éploré : tout en pleurs ; désolé(e), larmoyant(e).

Épouvantail : figuré : personne laide ou habillée ridiculement ; horreur, laideur.

Équateur : ligne imaginaire qui partage le globe terrestre en deux hémisphères : nord ou boréal, sud ou austral.

Équité : vertu qui consiste à régler sa conduite selon le sentiment naturel du juste et de l'injuste ; honnêteté, impartialité.

Érudit : qui possède des connaissances approfondies sur divers sujets ; instruit, lettré.

Escalade : action de pénétrer dans une maison par les fenêtres, de passer par-dessus les murs ; ascension, montée.

Escale : action de s'arrêter pour se ravitailler, se reposer, changer de moyen de locomotion ; halte, arrêt.

Esquisse : première forme d'un dessin ; croquis, ébauche.

Évasif : qui cherche à éluder une question en restant dans l'imprécision ; ambigu(ë), vague.

Fainéant : personne qui ne veut rien faire ; paresseux, désœuvré.

Falaise : escarpement qui borde la mer ; hauteur.

Farandole : danse populaire provençale rythmée sur un allégro à six-huit, exécutée par une file de danseurs se tenant par la main.

Feindre : faire semblant de... ; affecter, simuler.

Fez : calotte tronçonnique de laine ornée parfois d'un gland ou d'une mèche ; chéchia.

Flamant : oiseau échassier palmipède au plumage généralement rose.

Foucauld, Père Charles de : prêtre français vivant en solitaire dans le désert du Sahara et consacrant sa vie au service des populations sahariennes. Il fut assassiné par un Maure.

Furie : femme que la vengeance emporte jusqu'à la fureur ; harpie, mégère.

Gitan : bohémien (tribus nomades, vivant dans des roulottes, se croyant originaire de la Bohème), bohémien d'Espagne.

Glenn : pilote américain, un des premiers astronautes employés par la NASA.

Goupil : appelé aussi goujon. Poisson dont la taille ne dépasse pas 15 cm, très commun dans les eaux douces, limpides.

Gouttière : partie inférieure d'un toit où l'eau tombe goutte à goutte ; larmier.

Grande Ourse : constellation de l'hémisphère boréal rappelant la forme d'une chaise renversée.

Guindé : qui manque de naturel en s'efforçant de paraître digne, supérieur ; affecté, solennel, engoncé.

Hamster : petit mammifère rongeur, au pelage roux et à ventre blanc, qui creuse des terriers compliqués où il amasse des provisions.

Hémisphère austral : moitié sud du globe limitée à l'Équateur et donc, opposée à l'hémisphère boréal ou moitié nord.

Hérisson : petit mammifère insectivore au corps recouvert de piquants, lisses en temps normal, mais susceptibles d'érection.

Hilarité : brusque accès de gaieté, explosion de rire.

Imaginaire : qui est sans réalité et qui n'existe que dans l'imagination ; irréel, fictif.

Imminence : caractère de ce qui peut se produire dans très peu de temps ; immédiat, proche.

Imperturbable : que rien ne peut troubler, émouvoir ; inébranlable, impassible.

Importune : du verbe importuner : qui déplaît, qui ennuie, qui dérange, qui gêne par une conduite hors de propos.

Impudence : effronterie audacieuse ou cynique qui choque ; cynisme, insolence.

Incriminer : accuser quelqu'un ; inculper, blâmer.

Infléchit, s' : du verbe infléchir : modifier la direction, l'orientation de ; dévier.

Interloqué : rendu tout interdit, désemparé ; décontenancé, démonté.

Intrus : personne qui s'introduit quelque part sans y être invitée ; importun, indésirable.

Irascible : prompt à s'irriter, à s'emporter ; coléreux, violent.

Lawrence : aventurier anglais rendu célèbre à travers le Sahara et les régions environnantes. On le connaît sous le nom de Lawrence d'Arabie.

Lucide : qui perçoit et exprime les choses avec clarté et perspicacité ; clairvoyant, pénétrant.

Maître queux : cuisinier, chef.

Manège : comportement habile et artificieux pour arriver à ses fins ; artifice, manœuvre.

Mangouste : petit mammifère rappelant la belette.

Marine : peinture ayant la mer pour sujet.

Matériau : toute matière servant à construire.

Mille et une Nuits : récit fabuleux sur l'Orient, ses rois et le fameux Ali-Baba et les 40 voleurs.

Mirage : phénomène optique qui, dans le désert, donne au voyageur l'illusion d'apercevoir une nappe d'eau à l'horizon ; apparence, chimère.

Morigène, se : du verbe morigéner : être mécontent de soi ; se réprimander, se sermonner.

Narquois : à la fois moqueur et malicieux ; goguenard, ironique.

Natte : tresse de cheveux ; couette.

Ocre : couleur d'un brun jaune ou orangé.

Orion : constellation de l'hémisphère boréal, appelée aussi Étoile des rois mages. Apparaît dans nos régions durant les nuits de décembre, janvier et février.

Outré : indigné, révolté, scandalisé.

Paludisme: maladie infectieuse caractérisée par des accès de fièvre.

Partition : notation d'une composition musicale, de l'ensemble des parties.

Passeport : pièce certifiant l'identité d'une personne et lui permettant de se rendre à l'étranger.

Pastel : pâte faite de pigments colorés pulvérisés, agglomérés et façonnés en bâtonnets ; dessin fait ou réalisé avec ces crayons.

Penaud : honteux à la suite d'une maladresse ; confus, contrit.

Pensum : travail supplémentaire imposé à un élève ; punition.

Péremptoire : contre quoi on ne peut rien répliquer ; décisif, tranchant.

Perspicace : doué d'un esprit pénétrant, subtil ; intelligent, sagace.

Petite Ourse : constellation de l'hémisphère boréal affectant la forme d'une chaise. L'étoile polaire fait partie de ce groupe d'étoiles.

Phénix : personne unique en son genre, supérieure par ses dons ; as.

Pian : maladie de peau des pays tropicaux.

Prélasse, se : du verbe prélasser : s'abandonner nonchalamment, se reposer, s'étendre.

Pyramide : grand monument à base quadrangulaire et à quatre faces triangulaires qui servait de tombeau aux pharaons d'Égypte.

Rembrunit : du verbe rembrunir : s'assombrir, se chagriner.

Réticence : attitude ou témoignage de réserve (on ne dit pas tout) dans le discours, le comportement ; hésitation, silence.

Rez-de-chaussée : partie d'un édifice dont le plancher est au niveau de la rue, du sol.

Saeculorum : mot latin, employé ici au pluriel et comme complément d'un nom, signifiant pour des siècles ou pendant des siècles.

Saint-Bernard : gros chien dont le flair très aiguisé permettait de détecter les voyageurs perdus dans les Alpes. Les moines des monastères de Saint-Bernard utilisaient ces chiens pour porter secours aux voyageurs égarés.

Scarabée : insecte à ailes membraneuses qui vit dans les éjections d'herbivores.

Susurre : du verbe susurrer : murmurer doucement ; chuchoter.

Taciturne : qui parle peu ; qui n'est pas d'humeur à faire la conversation.

Terre-Neuve : gros chien à longs poils dont la race est originaire de Terre-Neuve.

Toise : du verbe toiser : regarder avec défi, plus souvent avec dédain ; mépriser, dédaigner.

Trille : battement rapide et ininterrompu sur deux notes voisines.

UNESCO : « United Nations Educational, Scientific and Cultural Organization », **en français :** Organisation des Nations Unies pour l'Éducation, la Science et la Culture. Organisation fondée à Londres en 1945 par l'Angleterre et la France et dont le but est de maintenir la paix et la sécurité dans le monde.

Vendetta (mot italien) **:** coutume corse où les membres de deux familles ennemies poursuivent la vengeance jusqu'au crime.

Vidangeur : petit poisson dont la fonction est de nettoyer un aquarium.

Visa : formule ou sceau, accompagné d'une signature qu'on appose sur un acte, un passeport pour le rendre régulier et valable.

Visqueux : ce qui est mou et gluant ; poisson, collant.

EXPRESSIONS

À dessein : de propos délibéré ; exprès, volontairement.
À l'insu de... : sans que la chose soit sue de quelqu'un.
Assouvir une vengeance : satisfaire pleinement un désir de rendre le mal qu'on nous a fait.
Avoir cure, n' : ne pas se soucier, ne pas tenir compte.
Avoir mauvaise conscience : sentiment pénible d'avoir mal agi.
Comme à l'accoutumée : comme d'habitude, comme à l'ordinaire.
Désarme pas, ne : ne cède pas, ne cesse pas de poursuivre un but.
Être à l'affût de : guetter l'occasion de saisir, de faire.
Faire fi de... : ne pas tenir compte.
Faire la moue : air de mécontentement, faire la lippe.
Marcher à cloche-pied : tenir un pied en l'air et sauter sur l'autre.
Prendre au dépourvu : sans que l'interlocuteur soit préparé.
Rire sous cape : se réjouir malicieusement, à part soi.
Sous le couvert de : sous l'apparence de, sous le prétexte de.

table des matières

Achevé d'imprimer à Montréal, aux Presses Élite Inc., pour le compte des Éditions Fides,
le quinzième jour du mois de mars de l'an mil neuf cent quatre-vingt-quatre.

Dépôt légal — 4e trimestre 1978 Imprimé au Canada Bibliothèque nationale du Québec